Gott ist bunt

KONKRETE LITURGIE

herausgegeben von Guido Fuchs

HELMUT SCHLEGEL OFM

Gott ist bunt

Kreative Gottesdienste
für besondere Zeiten und an besonderen Orten

VERLAG FRIEDRICH PUSTET
REGENSBURG

Bibliografische Information der Deutschen Nationalbibliothek
Die Deutsche Nationalbibliothek verzeichnet diese Publikation in der Deutschen Nationalbibliografie; detaillierte bibliografische Daten sind im Internet über http://dnb.dnb.de abrufbar.

Gutenbergstraße 8 | 93051 Regensburg
Tel. 0941/920220 | verlag@pustet.de

ISBN 978-3-7917-3283-1
Reihen-/Umschlaggestaltung und Layout: Martin Veicht, Regensburg
Umschlagbild: © Raina Graf – stock.adobe.com
Satz: Medienbüro Monika Fuchs, Hildesheim
Druck und Bindung: Friedrich Pustet, Regensburg
Printed in Germany 2021

eISBN 978-3-7917-6204-3 (epub)

INHALT

BESONDERE ORTE, BESONDERE ZEITEN, BESONDERE ANLIEGEN

VORWORT

Ausgerechnet eine Zeit, in der Liturgie und Seelsorge massiv eingeschränkt sind, ermutigt uns, im Gottesdienst kreativ zu sein. In der Zeit der Corona-Pandemie ist uns bewusst geworden: Liturgie an Andersorten und zu Anderszeiten sind keine Notlösungen, sie sind eine Bereicherung und zeigen die Vielfalt der Möglichkeiten auf. Im Letzten hat die Farbigkeit in der Gottesdienstgestaltung einen theologischen Grund, denn GOTT IST BUNT. So wie das eine Licht sich in vielen Farben zeigt, so zeigt sich uns Gott in vielerlei Weise.

Das vorliegende Buch möchte einladen, an gewohnten und ungewohnten Orten, zu gewohnten und ungewohnten Zeiten im Gottesdienst zu experimentieren. Es bietet Modelle zu großen Festen im Jahreskreis wie Fronleichnam, Johannes der Täufer, Verklärung Christi, Kirchweih, Christkönigsfest u. a. sowie Vorschläge für liturgische Feiern in freier Natur, auf dem Friedhof, zum Thema „ethische Geldanlagen", anlässlich interreligiöser Begegnungen u. a.

In der Buntheit der Gottesdienste mag erfahrbar werden, was Alfred Delp 1944 im Gefängnis aufgeschrieben hat: „Die Welt ist Gottes so voll."

Juli 2021 *Helmut Schlegel OFM*

BESONDERE FESTE
IM KIRCHENJAHR

GOTT IST BUNT

HEILIGSTE DREIFALTIGKEIT

Vorbereiten

- An drei Stellen der Kirche sind Felder aus Tüchern ausgelegt. Das erste Feld ist gelb, das zweite rot, das dritte blau.
- In einer Ecke der Kirche (oder in einem nahe liegenden Raum) ist ein Stuhlkreis aufgestellt, auf den Stühlen Wollfäden in gelber, roter und blauer Farbe.

Singen Gott wohnt in einem Lichte (GL 429,1–2)

Einstimmen Mit Augen suchen wir ihn – und sehen ihn nicht. Dreifach ist er, aber die drei zu trennen vermögen wir nicht. In sich verschlungen ist seine Dreiheit, seine Einheit erkennen wir, seine Dreiheit betrachtend. Im Wesenlosen hat er sein Wesen, er, des Gestaltlosen Bild. Geheimnisreich ist er und unbegreiflich. Ihm entgegen geht unser Weg, doch finden wir nicht seinen Anfang. Ihm folgen wir, doch finden wir nicht sein Ende. *Lao-Tse (6. Jh. v. Chr.)*

Hören Evangelium des Festtags

Beten Gott,
Du bist der dreifaltige und eine Herr,
Gott aller Götter.
Du bist das Gute, jegliches Gut, das höchste Gut,
der Herr, der lebendige und wahre Gott.
Du bist die Liebe, die Minne.
Du bist die Weisheit.
Du bist die Demut.
Du bist die Geduld.
Du bist die Schönheit.

Du bist die Milde.
Du bist die Sicherheit.
Du bist die Ruhe.
Du bist unsere Hoffnung.
Du bist die Freude und Fröhlichkeit.
Du bist die Gerechtigkeit.
Du bist unsere Hoffnung.
Du bist unser Glaube.
Du bist unsere Liebe.
Du bist unsere ganze Wonne.
Du bist unser ewiges Leben:
großer und wunderbarer Herr,
allmächtiger Gott, barmherziger Retter.

Franz von Assisi

Vertiefen

Bei der Vorbereitung dieses Gottesdienstes hat jemand gesagt: „Vielleicht ist es bei Gott wie beim Licht. Das Licht ist eines und setzt sich doch aus vielen Farben zusammen. Gott ist der Eine und zeigt sich doch verschieden." Das brachte uns auf die Idee: Wie wäre es, wenn wir einmal vom bunten Gott sprächen?

STATION 1: DIE SPRACHE DER FARBEN

Alle gehen zu dem gelben Farbenfeld. (Alternative: Es wird ein gelbes Tuch für alle sichtbar aufgehängt).

Meditation

I Gelb: Farbe der Sonne und des Lichtes.
Farbe der Klarheit und der Entscheidung.
Licht – das Erste, was Gott geschaffen hat.
Er sprach: Es werde Licht! – Und es ward Licht.
Die Wissenschaft weiß nur in etwa, was Licht ist.
Eines wissen wir: Licht ist ein großartiges Geschöpf.
Licht ist Leben.

II Die genialste Idee Gottes aber ist er, von dem es heißt: Licht vom Licht, gezeugt, nicht geschaffen. Und der von sich sagt: Ich bin das Licht der Welt – Jesus.

Seit dieses Licht in unserer Welt leuchtet, ist alles anders.

Jesus sagt: „Gott hat die Welt so sehr geliebt, dass er seinen einzigen Sohn hingab, damit jeder, der an ihn glaubt, nicht verloren geht, sondern ewiges Leben hat.“ (Joh 3,16)

III Liebe? Glaube? Mut? Ewiges Leben? Schöne Worte.
Ich höre da aber auch Sätze, die mir wehtun.
Ist es der gütige Gott, der, wie es heißt „seinen einzigen Sohn hingab“? – Warum, wenn er die Welt so sehr geliebt hat? Ist das der Preis der Liebe?
Gott, ich möchte dich kennenlernen als eine liebende Mutter und einen gütigen Vater. Ich möchte glauben.
Hilf meinen Unglauben.

Singen Heiliger Herre Gott (GL 300)

Alle gehen zu dem roten Farbenfeld (Alternative: Es wird ein rotes Tuch für alle sichtbar aufgehängt).

Meditation

I Rot – Farbe der Liebe und der Leidenschaft.
Rot – das ist jung sein und das Leben wagen.
Rot – das sind Kinder und Zukunft.
Rot – das ist Christus, der Sohn.
Farbe des Kreuzes und des Blutes.
Durch seinen Tod und seine Auferstehung sind wir erlöst.

II Jesus sagt: „Denn Gott hat seinen Sohn nicht in die Welt gesandt, damit er die Welt richtet, sondern damit die Welt durch ihn gerettet wird.“ (Joh 3,17)

III Warum muss die Welt gerettet werden?
Hat Gott die Welt nicht gut geschaffen?
Und warum musste Christus sterben?
Gab es keinen anderen Weg?

Und warum sind wir so dumm, dass wir unsere Erde ruinieren?
Christus, ich möchte dich kennen lernen als meinen Bruder und dir folgen. Ich möchte glauben. Hilf meinen Unglauben.

Stille

Singen Heiliger Herre Gott (GL 300)

Alle gehen zu dem blauen Farbenfeld. (Alternative: Es wird ein blaues Tuch für alle sichtbar aufgehängt).

Meditation

I Blau ist die Farbe des Himmels.
Durchsichtig blau sind die Luft und der Wind –
so wie der Geist, der weht, wo er will,
der wirkt und den wir doch nicht fassen können.
Der Geist, der uns trunken macht und ganz tief in unserem Herzen wohnt.

II Jesus sagt: „Der Wind weht, wo er will; du hörst sein Brausen, weißt aber nicht, woher er kommt und wohin er geht. So ist es mit jedem, der aus dem Geist geboren ist." (Joh 3,9)

III Wenn ich nur wüsste,
woher sie kommen und wohin sie gehen –
die Geister und die Ungeister.
Wenn ich sie nur unterscheiden könnte –
den Geist der Wahrheit vom Geist der Lüge,
den Geist der Liebe vom Geist des Hasses.
Heiliger Geist, ich möchte deine Kraft in mir spüren.
Ich möchte glauben. Hilf meinen Unglauben.

Stille

Singen Heiliger Herre Gott (GL 300)

I Mit vielen Fragen, aber auch mit Sehnsucht nähern wir uns dem Geheimnis Gottes. Unsere Fragen werden wohl bleiben. Einen Gott, den wir begreifen könnten, gibt es – Gott sei Dank – nicht. Wir bitten ihn, dass wir ihn als Mutter und Vater, als Freund und Bruder, als Kraft, aus der wir leben, erfahren dürfen. Wir bitten ihn, dass er uns im Herzen berührt.

Gehen Sie nochmals zu den drei Farbfeldern. (Alternativ: Schauen Sie sich nochmals mit Ruhe die drei Farbfelder an). Spüren Sie Ihre Fragen und Ihre Sehnsucht. Spüren Sie, welche Farbe Gottes Sie heute anspricht.

Instrumentalmusik

STATION 2: BÄNDER DER FREUNDSCHAFT

Alle versammeln sich in einer freien Ecke der Kirche, wo ein Kreis mit Stühlen aufgestellt ist, oder in einem Raum des Gemeindehauses. Auf den Stühlen liegen je drei Wollfäden in den Farben gelb, rot und blau.

Meditative Aktion

I Sie finden Wollfäden in den drei Farben, in denen wir Gottes Farben meditiert haben. Vielleicht wollen Sie von jeder Farbe einen Faden in die Hand nehmen und damit spielen. Vielleicht wollen Sie auch die Fäden zusammenbinden, einen Zopf daraus flechten oder ein Freundschaftsband knüpfen. Es gibt eine Vielfalt von Möglichkeiten, mit den Wollfäden umzugehen. Wir können uns so kreativ dem Geheimnis Gottes nähern.

Instrumentalmusik

Mit dem Zeichen der Klangschale versammeln sich alle um den Altar. Ein weißes Tuch wird auf dem Altar ausgebreitet.

I Alle Farben vereinigen sich im weißen Licht.
Gott ist Licht, das reinste Licht.
Viel reiner noch als dieses weiße Tuch.
Gott vereint alle Farben der Welt,
alle Unterschiede der Menschen und Geschöpfe.
Gott ist alles in allem, er ist in uns und wir sind in ihm.

Singen Nun darfst du in ihm leben (GL 429, 5)

Der Gottesdienst kann mit der gemeinsamen Eucharistie weitergeführt oder mit dem Vaterunser und dem Segensgebet abgeschlossen werden.

Segnen Wir bitten Gott:
Du Quelle des Segens, erfülle uns.
Du Quelle der Kraft, stärke uns.
Du Quelle der Liebe, wecke uns.

So spricht Gott:
Ihr seid gesegnet – ich gebe euch Kraft.
Ihr seid gesegnet – ich erwecke euch zum Leben.
Ihr seid gesegnet – ich bin bei euch auf dem Weg.

Das gebe uns der dreifaltige Gott, der Vater, der Sohn und der Heilige Geist.

DAS GETEILTE BROT

FRONLEICHNAM

Einstimmen Wenn heute mancherorts das eucharistische Brot durch die Straßen der Dörfer und Städte getragen wird, ist das alles andere als eine Machtdemonstration. Es ist der demütige Gott, den wir der Welt zeigen. Es ist der Auftrag Jesu, nicht nur still für sich zu kommunizieren, sondern miteinander: mit den Menschen aller Konfessionen und Religionen, mit den Geschöpfen, mit denen wir partnerschaftlich verbunden sind und für die wir Verantwortung tragen. Das Wunder der Brotvermehrung, das Jesus gewirkt hat, geht weiter. „Gebt ihr ihnen zu essen“, sagt er auch heute zu uns.

Um Erbarmen bitten
Verschiedene Brote werden vor den Altar gebracht.

I Es gibt hunderte von Brotsorten.
Sie werden angeboten, gekauft und gegessen.
Wir leben vom Brot.
Wir brechen und teilen Brot.
Aber wir können es nicht machen, unser Brot.
Es ist geschenkt.
Viele Hände haben daran gearbeitet.
Der Schöpfer hat es uns gegeben.

II Brot steht für vieles:
für den Wecker, der mich wach werden lässt,
für das Wasser und die Zahnpasta,
für das Frühstück,
für den Bus und für die Arbeitsstelle.
Für das alles steht Brot.

III Brot steht für das Gespräch,
das einen Konflikt klärt,
für meine Ausbildung,
für die Freunde
und das Buch,
das ich gerade lese.

IV Unser tägliches Brot ist dein Geschenk, Gott. Das Geheimnis des Brotes ist dein Geheimnis. So erbitte ich mir; Herr, in aller Bescheidenheit, dass ich nicht selbstzufrieden werde. Ich bitte, dass der Stachel der Ungerechtigkeit in meiner Seele sticht und ich mich nicht vor den Fragen drücke mit einfachen Antworten.
Ich bitte um den Mut und die Kraft, zu arbeiten und zu bauen an deinem Reich.

Beten Guter Gott, alles, was wir sind, entspringt aus dir. Alles, was wir werden, mündet in dir. Alles, was wir können, ist deine Gabe. Alles, was wir suchen, findet Ruhe in dir.
Hilf uns, damit alles, was wir denken, dich umkreist. Damit alles, was wir fühlen, dich liebt. Damit alles was wir wollen, in dir vollendet wird. So bitten wir dich im Namen Jesu, deines Sohnes, der für uns das Brot des Lebens ist und der mit dir und dem Heiligen Geist lebt und Leben schenkt, jetzt und in Ewigkeit.

Hören Schrifttext des Festtags

Vertiefen

Thomas von Celano erzählt in seiner ersten Lebensbeschreibung der heiligen Klara eine schöne Legende.

Nur noch ein einziges Brot war im Kloster, es war Zeit zum Essen und die Schwestern hatten Hunger. Da gab Klara einer Schwester den Auftrag, das Brot in zwei Teile zu schneiden und die eine Hälfte den Brüdern, die in der Nähe lebten, zu schicken. Die andere Hälfte sollte sie so aufteilen, dass jede Schwester ein Stück bekommt.

„Aber das geht doch gar nicht, wir sind fünfzig Schwestern“, gab die Schwester zur Antwort. „Tu halt, was ich dir sage!“, antwortete

Klara, und die Schwester teilte also das Brot in fünfzig Stücke. Da geschah das Wunder – es reichte für alle, jede Schwester wurde satt. Und vermutlich die Brüder auch.

frei nach Thomas von Celano, Leben der heiligen Klara

Wie gesagt, die Geschichte ist eine Legende – und trotzdem ist sie wahr. Das wirkliche Wunder war nicht mit den Augen zu sehen, sondern nur mit dem Herzen. Kann aus einem „Weniger" ein „Mehr" werden? Aus einem Mangel eine Fülle? Genau diese provokative Frage hat Klara gestellt.

Papst Franziskus sagt in der Enzyklika „Laudato si'": „Wenn wir uns der Natur und der Umwelt ohne diese Offenheit für das Staunen und das Wunder nähern, wenn wir in unserer Beziehung zur Welt nicht mehr die Sprache der Brüderlichkeit und der Schönheit sprechen, wird unser Verhalten das des Herrschers, des Konsumenten oder des bloßen Ausbeuters der Ressourcen sein, der unfähig ist, seinen unmittelbaren Interessen eine Grenze zu setzen. Wenn wir uns hingegen allem, was existiert, innerlich verbunden fühlen, werden Genügsamkeit und Fürsorge von selbst aufkommen. Die Armut und die Einfachheit des heiligen Franziskus waren keine bloß äußerliche Askese, sondern etwas viel Radikaleres: ein Verzicht darauf, die Wirklichkeit in einen bloßen Gebrauchsgegenstand und ein Objekt der Herrschaft zu verwandeln."

Papst Franziskus, Enzyklika Laudato Si', Nr. 11

Damit kommen wir wieder zur Legende, die Thomas von Celano erzählt. Das Wunder in dieser Geschichte hat zwei Seiten. Die eine Seite ist der Mut, mit allen zu teilen. Zwei Hälften – für Schwestern und Brüder. Fünfzig Stücke aus einem halben Brot. Verrückt, aber wagemutig. Der Mut der Gerechtigkeit. Was uns gehört, gehört allen.

Die andere Seite des Wunders ist das Vertrauen. In ihrer Armut setzt Klara alles auf Gott. Aus diesem Vertrauen entspringt die Tat. Der starke Impuls, das Brot zu teilen.

Bitten Mit dem folgenden Gebet für unsere Erde beschließt Papst Franziskus seine Enzyklika Laudato si':

Allmächtiger Gott, der du in der Weite des Alls gegenwärtig bist und im kleinsten deiner Geschöpfe, der du alles, was existiert, mit deiner Zärtlichkeit umschließt, wir bitten dich:

- ○ Gieße uns die Kraft deiner Liebe ein, damit wir das Leben und die Schönheit hüten.
- ○ Überflute uns mit Frieden, damit wir als Brüder und Schwestern leben und niemandem schaden.
- ○ Gott der Armen, hilf uns, die Verlassenen und Vergessenen dieser Erde, die so wertvoll sind in deinen Augen, zu retten.
- ○ Heile unser Leben, damit wir Beschützer der Welt sind und nicht Räuber, damit wir Schönheit säen und nicht Verseuchung und Zerstörung.
- ○ Rühre die Herzen derer an, die nur Gewinn suchen auf Kosten der Armen und der Erde.
- ○ Lehre uns, den Wert von allen Dingen zu entdecken und voll Bewunderung zu betrachten; zu erkennen, dass wir zutiefst verbunden sind mit allen Geschöpfen auf unserem Weg zu deinem unendlichen Licht.

Danke, dass du alle Tage bei uns bist. Ermutige uns bitte in unserem Kampf für Gerechtigkeit, Liebe und Frieden. Darum bitten wir durch Christus, unseren Herrn.

Papst Franziskus, Enzyklika Laudato si' – Gebet für unsere Erde

Bereiten Gott des Lebens, wir empfangen alles von dir: das Leben, das Licht, die Nahrung, die Talente, die Zukunft. In den Zeichen dieser Gaben, Brot und Wein, geben wir dir alles zurück, was wir sind und haben. Lass uns dankbar und gemeinsam an der Zukunft arbeiten, dass dein Reich Gestalt annehme. So bitten wir durch Christus, unseren Herrn.

Um Frieden bitten

„Sammelt die übrig gebliebenen Stücke, damit nichts verdirbt“. So sagt Jesus zu den Seinen bei der Brot-

vermehrung. Sammeln und geben, empfangen und verschenken: das Brot, den Frieden, die Gaben, uns selbst.
Jesus, du bist das lebendige Brot und der Friede, der Bestand hat.
Gib uns die Fantasie und den Mut, dass wir das Brot achten und den Frieden teilen. Dass wir einander geben, was wir zum Leben brauchen:
Aufmerksamkeit und Liebe.

Meditieren und anbeten

Eine große konsekrierte Hostie wird, bevor sie in die Monstranz eingesetzt und zur Meditation ausgesetzt wird, hochgehalten und den Gläubigen gezeigt. Dazu wird – vielleicht zu leiser Meditationsmusik – folgender Text gesprochen:

I Christus, du hast gesagt:
„Ich bin das Brot des Lebens; wer zu mir kommt, wird nie mehr hungern, und wer an mich glaubt, wird nie mehr Durst haben." (Joh 6,35)
Lass uns dich erkennen in diesem Brot. Stärke und nähre uns.

II Christus, du hast gesagt:
„Ich bin das lebendige Brot, das vom Himmel herabgekommen ist. Wer von diesem Brot isst, wird in Ewigkeit leben." (Joh 6,51)
Lass uns in der Ungewissheit des Lebens auf das ewige Leben hoffen.

I Christus, du hast gesagt:
„Nehmt und esst; das ist mein Leib." (Mt 26,26)
Lass uns im Brotbrechen dich erkennen und selbst zu deinem Leib werden.

II Der Apostel Paulus sagt:
„Ein Brot ist es. Darum sind wir viele ein Leib; denn wir alle haben teil an dem einen Brot." (1 Kor 10,17)
Füg' uns zusammen zu einem Brot, damit wir nahrhaft werden für die Welt.

Segnen Gott, du bist der Ursprung allen Seins, die Quelle unserer Gaben.
Sei du der Weg, der uns nach innen führt.
Sei die Stille im Lärm unserer Welt.
Sei die Kraft, die uns bewegt.
Sei das Brot, das uns nährt.
In dir ist unsere Freude.
So segne uns und mache uns zum Segen für die Welt.

Prozession

Wenn sich an den Gottesdienst eine Prozession anschließt, kann sie so eingeleitet werden:

Wir werden jetzt im Anschluss an den Gottesdienst durch unser Dorf / unseren Stadtteil gehen, um das zu leben, was Jesus uns zur Aufgabe gemacht hat: Brot für die Welt zu sein.
Eucharistie ist die Kommunion Gottes mit uns und unsere Kommunion mit der Welt. Der Kirchenlehrer Augustinus sagt: Euer Geheimnis selbst ist auf den Altar gelegt: Seid, was ihr seht, und empfangt, was ihr seid. Empfangt den Leib Christi, seid der Leib Christi.

DIR ZUGEWANDT

JOHANNES DER TÄUFER

Vorbereiten
- Infotafel mit Papier, Eddings,
- CD-Player
- Meditative Musik

Einstimmen Die Person, die heute im Mittelpunkt des Gottesdienstes steht, möchte uns eigentlich an einen anderen Ort einladen – an einen fließenden Bach in einer kargen Landschaft. Wir feiern das Fest des heiligen Johannes des Täufers, der einen großen Teil seines Lebens in der Wüste nahe dem Jordanfluss verbracht hat. Die Bibel erzählt uns von seiner Geburt, er wurde sechs Monate vor Jesus geboren. Er ist der einzige Heilige, dessen Geburtstag die Kirche feiert.

Er war wohl ein ziemlich rauer Geselle: Er lebte von Heuschrecken und wildem Honig, rief die Menschen zur Umkehr auf und taufte sie im Jordan. Den Machthabenden hat er so gehörig die Meinung gesagt, dass es ihn schließlich den Kopf gekostet hat. Sie tun auch heute der Kirche und Gesellschaft gut: die kantigen, geradlinigen Prophetinnen und Propheten.

Beten Wahrheit und Licht bist du, lebendiger Gott. In Gerechtigkeit und Freiheit können wir leben, wenn wir auf dein Wort hören. Darum sendest du zu allen Zeiten Prophetinnen und Propheten, Frauen und Männer, die ihre Finger in die Wunden der Zeit legen, wache Menschen, die sich auf die Seite der Entrechteten stellen.

Gib uns aufmerksame Ohren, dass wir auf sie hören und uns nicht verschanzen hinter unseren Urteilen und Sicherheiten.

STATION 1: UNSERE NAMEN SIND GESEGNET

*Die Teilnehmer*innen stehen im Halbkreis um eine Infotafel.*

Hören Lk 1,57–66

I Für Elisabet aber erfüllte sich die Zeit, dass sie gebären sollte, und sie brachte einen Sohn zur Welt. Ihre Nachbarn und Verwandten hörten, welch großes Erbarmen der Herr ihr erwiesen hatte, und freuten sich mit ihr. Und es geschah: Am achten Tag kamen sie zur Beschneidung des Kindes und sie wollten ihm den Namen seines Vaters Zacharias geben. Seine Mutter aber widersprach und sagte:

II Nein, sondern er soll Johannes heißen.
Geht zur Tafel und schreibt in einen Kreis in die Mitte:

I Sie antworteten ihr: Es gibt doch niemanden in deiner Verwandtschaft, der so heißt. Da fragten sie seinen Vater durch Zeichen, welchen Namen das Kind haben solle. Er verlangte ein Schreibtäfelchen und schrieb darauf:

II Johannes ist sein Name.
Geht zur Tafel und schreibt die Bedeutung des Namens in den Kreis:

יוחנן

Jochanan

JHWH ist dir
zugewandt

I Und alle staunten. Im gleichen Augenblick konnte er Mund und Zunge wieder gebrauchen und er redete und pries Gott. Und alle ihre Nachbarn gerieten in Furcht und man sprach von all diesen Dingen im ganzen Bergland von Judäa. Alle, die davon hörten, nahmen es sich zu Herzen und sagten: Was wird wohl aus diesem Kind werden? Denn die Hand des Herrn war mit ihm.

Vertiefen

I Damals ein „Schreibtäfelchen" –
heute eine Geburtsurkunde.
Darauf steht mein Name.
Seit Geburt nennen mich die Menschen so.
Und wenn ich meinen Namen höre,
dann freue ich mich.
Oder ich erschrecke.
Nie lässt es mich kalt.

II Jochanan – Johannes
Gott ist dir zugewandt.
Auf dem Schreibtäfelchen Gottes
stehen alle unsere Namen.
Jochanan – Gott ist dir zugewandt.
Das gilt für uns alle.

I Wir sind eingeladen, unsere Vornamen auf die Infotafel zu schreiben – um dieses „Gott ist dir zugewandt" herum. Lassen Sie sich Zeit dazu und spüren Sie, wie sich das anfühlt.

Meditationsmusik

Beten

Am Schluss liest I die Namen langsam vor. Dann stellen sich alle im Kreis um die Tafel und sprechen gemeinsam (vielleicht mit erhobener Segenshand) das Segensgebet über die Namen:

Sei gesegnet,
dein Name steht im Herzen Gottes.
Eingeschrieben in seiner Hand,
bist du berufen
zur Prophetin und zum Propheten des Lebens.
Gott ist dir zugewandt.

Singen/Meditieren

Eingeschrieben dein Name *(nach Psalm 9)*

Eingeschrieben dein Name
in meine Hand.
Und ich fühle
mit meinen Fingern:
Wo ich bin,
da bist auch du.

Eingeschrieben dein Name
auf meine Stirn.
Und ich ahne
In meinem Denken:
Wo ich bin,
da bist auch du.

Eingeschrieben dein Name
in meinen Blick.
Und ich sehe
mit meinen Augen:
Wo ich bin,
da bist auch du.

STATION 2: TRINKEN AUS SEINER QUELLE

Alle versammeln sich um den Taufbrunnen.

Hören Apg 13,23–26

Vertiefen

I Kehrt um, sagt Johannes
Darum tauft er.
Seine Botschaft heißt:
Ändert euren Sinn.
Beendet Feindschaften.
Schafft Gerechtigkeit.

II Ein Glück, dass ich umkehren kann.
Neu denken.
Jeden Tag neu anfangen.
Zurückgehen, wenn ich in einer Sackgasse lande.
Einen anderen Weg suchen.

III Wir laden zu einem Experiment ein.
Gehen Sie fünf Minuten durch den Kirchenraum, jede und jeder ganz für sich allein. Vielleicht fällt Ihnen eine Situation ein, wo Sie sich festgefahren fühlen. Bleiben Sie einen Moment stehen und drehen Sie dann um. Machen Sie mit dem Körper eine Wende. Ganz langsam, Umkehr ist kein Gewaltakt.
Vielleicht löst diese Bewegung auch in der Seele etwas aus. Einen Wunsch vielleicht, ein Gebet, eine Idee …
Lassen Sie zu, was der Geist Ihnen eingibt.

Nach fünf Minuten ertönt die Klangschale, dann gehen alle wieder an den Taufbrunnen.

Singen/Meditieren

Eingeschrieben dein Name
in meinen Leib.
Und ich spüre
mit meinem Atem:
Wo ich bin,
da bist auch du.

Eingeschrieben dein Name
mir in das Herz.
Und ich freu mich
mit allen Sinnen:
Wo ich bin,
da bist auch du.

Helmut Schlegel © Dehm Verlag

Tauferinnerung

I „Wer glaubt und sich taufen lässt, wird gerettet" (Mk 16,16), sagt Jesus.
Aber seine Taufe ist anders.
Kein „Du musst endlich!"
Eher ein „ich gehe mit dir" –
durch das Dunkel ins Licht,
durch den Tod in das Leben.

II Wir sind „aus dem Wasser und dem Geist geboren" (Joh 3,5), wie Jesus sagt. Hier am Taufbrunnen sind wir eingeladen, das Wasser zu berühren und uns mit dem Kreuz zu bezeichnen.

I Christus, du hast mir in der Taufe dein Ja-Wort zugesprochen. Wasser des Lebens ist über mir ausgegossen. Ich darf trinken aus deiner Quelle.
Lass mich hoffen auf das österliche Leben, das du mir geschenkt hast.

Singen Wasser vom Himmel (diverse Liederbücher)

Bitten

Guter Gott, du hast dich uns zugewandt und lässt unseren Geist wachsen und stark sein. Vertrauensvoll bitten wir:

- Unsere Welt braucht deinen starken Geist. Darum beten wir für alle, die sich unermüdlich für die Eindämmung der Armut in der Welt und für die Schonung von Klima und Umwelt einsetzen.

A Guter Gott, sende aus deinen Geist.

- Unser Frieden braucht deinen starken Geist. Darum beten wir für alle, die sich je nach Begabung auf unterschiedliche Weise für den Frieden zwischen Menschen und Völkern einsetzen.
- Unsere Zukunft braucht deinen starken Geist. Darum beten wir für die vielen Kinder und Jugendlichen, für die dieser Sommer der Beginn eines neuen Lebensabschnittes bedeuten wird.
- Unsere Hoffnung braucht deinen starken Geist. Darum beten wir für Menschen, die wie der heilige Täufer Johannes voller Überzeugung auf etwas Neues hindeuten.
- Unsere Kirche braucht deinen starken Geist. Darum beten wir für Menschen, die sich mutig für die äußere und innere Erneuerung einsetzen.

Gott des Lebens, du schenkst uns deinen Geist und das Antlitz der Erde wird neu. Dafür danken wir dir heute und alle Tage unseres Lebens.

Bereiten

Gottes Geist
im Mahl der Gemeinschaft,
der im Heute
gestern mit morgen verbindet –
und der die Schranken
im Innen und Außen durchbricht:
Wandle du Brot und Wein
und wandle auch uns.
Darum bitten wir durch Christus, unseren Herrn.

Danken

Gott, du bist uns zugewandt.
Du schaust uns an.
Deinen Blick erwidern wir.
Du bist da.
Immer wieder neu
stehen wir vor dir mit leeren Händen,
und du füllst sie mit deiner Gegenwart,
mit deiner Stille.

Segnen

Es sei über euch die Kraft des Vaters, der uns sein Angesicht zugewandt hat.
Es sei mit euch die Gewissheit seines Sohnes, der zum Zeichen des Heiles geworden ist.
Es sei in euch die Fülle des Geistes, der euch zur Liebe anspornt.
Und so begleite euch und alle, die auf Segen hoffen, der Vater und der Sohn und der Heilige Geist.

VOM LICHT GESTÄRKT

VERKLÄRUNG CHRISTI

Vorbereiten

- Erde, die vor dem Altar ausgestreut ist

Einstimmen

*Leiter*in* Im Namen Gottes kommen wir zusammen: Gott nimmt uns an, wie wir sind.
Jesus nimmt unsere Sehnsüchte auf und gibt unserem Leben Richtung und Sinn.
Gottes Geist ruft uns auf seinen Weg.
Und so zeichnen wir das Kreuz über unseren Leib und unsere Seele: Im Namen des Vaters und des Sohnes und des Heiligen Geistes.

Meditation

Vor dem Altar ist Erde ausgestreut.

I Ein Haufen Erde – einfach dort hingeschüttet.
Beim Anschauen denke ich an begrabene Hoffnungen: Viele Jugendliche haben die Hoffnung auf einen Ausbildungsplatz begraben, Millionen Menschen haben die Hoffnung auf ein gesundes, glückliches Leben begraben.

Kyrie-Ruf GL 154

II Ein Haufen Erde – so viel steckt darin, das wir nicht sehen:
Körner, kleine Tiere, mikroskopisches Wesen. Im alltäglichen Einerlei ist so vieles verschüttet und wir glauben nicht recht, dass daraus etwas werden kann: ein neuer Anfang nach dem bösen Streit, Frieden nach dem Krieg, ein Leben nach dem Tod – kann das sein?

Kyrie-Ruf

III Ein Haufen Erde – Manchmal fühle ich mich wie ein Häuflein Erde.
Das Zutrauen zu mir selbst ist geschwunden, der Glaube an die Menschen dem Misstrauen gewichen. Hat es einen Wert, was ich mache? Gibt es Lichtblicke für mich?

Kyrie-Ruf

Beten Lebendiger Gott,

wir leben hier auf der Erde und wir beten zu dir im Himmel. Du aber bist uns nicht fremd, darum vertrauen wir dir, der du in Jesus von Nazaret Himmel und Erde verbindest.

Wir wollen in unseren Gebeten für die Erde und in unserem Tun auf der Erde für den Himmel einstehen. Dann werden wir Brot und Liebe teilen, wir werden mit den Armen um Gerechtigkeit kämpfen.

Stärke und ermutige uns, das Evangelium zu leben.

Hören Mk 9,2–8

Vertiefen

Eine Frau erzählte von einem Erlebnis, das sie tief beeindruckt hatte. Sie war mit anderen Frauen in der Kirche und zündete vor dem Marienaltar eine Kerze an. Durch das offene Portal kam ein Junge und näherte sich neugierig der Gruppe. Wie sich später herausstellte, kam der Junge aus Ostdeutschland und hatte keine religiöse Erziehung erfahren. „Warum stellen Sie hier eine Kerze auf?“, fragte er. Die Frau gab zur Antwort: „Die Kerze ist ein Gebet, ich denke an einen kranken Menschen und bitte Gott, dass er ihn gesund werden lässt.“ Der Junge staunte: „Kann ich das auch machen?“ – „Ja, das kannst du auch machen. Denke an einen lieben Menschen und denke an Gott.“ Der Junge steckte eine Kerzen an, dachte einige Augenblicke nach und strahlte über das ganze Gesicht.

Licht verwandelt nicht nur unser Gesicht. Licht verwandelt unser Wesen. Auch Jesus durfte diese Erfahrung machen. Die Taborgeschichte erzählt uns davon. Dort auf dem Berg wird er ganz und gar vom Licht Gottes durchdrungen. Die Menschen um ihn herum spüren, wie ein Strahlen über sein Gesicht geht. Eine tiefe innere Kraft gibt ihm die Gewissheit, auf dem rechten Weg zu sein. Es ist der Weg von Galiläa nach Jerusalem. Bereits in den vergangenen Tagen und Wochen musste er die eiskalte Ablehnung der religiösen Eliten spüren. Er weiß, was sie vorhaben: Sie wollen ihn beseitigen. Er könnte den leichten Weg wählen und sich verstecken. Aber er wird seiner Mission treu bleiben. Das Licht gibt ihm neue Kraft.

Jesus bleibt nicht auf dem Berg. Er hält dieses Höhenerlebnis nicht fest. Er wird hinabsteigen in das Tal und nach Jerusalem gehen. Dort kommt, was er befürchtet. Aber er weiß: Ich bin getragen von Gott.

Das Licht der Kerze verändert nichts. Der Junge, von dem die Frau erzählte, geht wieder nach Hause und alles wird sein wie immer. Aber die leuchtende Kerze hat etwas in ihm hinterlassen. Das Licht der Verklärung hat die Lage Jesu auch nicht verändert. Der Weg, den er gehen wird, bleibt schwer, bleibt ein Weg des Scheiterns. Aber das Licht hat seine Seele verwandelt. Gestärkt geht er hinab in das Tal.

Ich kenne solche Erfahrungen auch. Manchmal, nach einem Gottesdienst oder einer Gebetszeit wusste ich: Es hat sich nichts geändert. Meine Probleme sind geblieben. Die Menschen, mit denen ich mich schwertue, sind schwierig geblieben. Ich selbst habe mich kaum verändert. Und doch ist etwas passiert. Mit mir. Ich wurde gestärkt und bin zuversichtlich. Das Licht verändert uns nicht, aber es verwandelt uns.

Vielleicht ist dieser Tag für uns ein Tabor-Tag. Wir kommen aus unserem Alltag und wir gehen wieder in unseren Alltag. Es wird sich nichts merklich verändern. Und doch geschieht etwas. Das Licht verklärt nicht nur das Gesicht, es verwandelt unser Wesen.

Bitten Christus gibt uns die Chance zu wachsen und uns zu verwandeln. Bitten wir darum, dass wir die Tabor-Stunden wahrnehmen und unser Leben in der Kraft der Liebe und des Vertrauens gestalten.

- Für die Kranken und Einsamen, die sich nach Zeichen der Hoffnung und Zuwendung sehnen. – Jesus Christus, zeige uns dein Licht!

A Jesus Christus, zeige uns dein Licht!

- Für alle Menschen, die mit ihren Fragen nach dem Sinn des Lebens allein sind.
- Für Menschen, die im Gebet Kraft erfahren, um ihren Alltag zuversichtlich zu gestalten. Und auch für jene, die sich damit schwertun.
- Für uns, die wir in verschiedenen Kulturen, Sprachen und Religionen Gottes Licht und Liebe erfahren.
- Für Menschen, die am Leben zerbrechen oder an einer seelischen Krankheit leiden, die ihnen das Leben zur Hölle macht.
- Für jene, die Opfer von Gewalt und Korruption werden, besonders auch für jene, die von machtgierigen Herrschern verführt werden.
- Für unsere Erde, die Gott wunderbar geschaffen hat und die uns täglich mit ihrer Schönheit und ihrer heilenden Kraft überrascht.

Wir danken dir, Christus, dass du uns Wege zeigst, die zum Licht Gottes und zum Ziel unseres Lebens führen. Wir wollen dir folgen – heute, morgen und in Ewigkeit.

Meditation

I *Nimmt eine Handvoll Erde vor dem Altar.*

Wirklich verändern können wir diese Gartenerde nicht.
Sie bleibt, was sie ist.
Wir können sie verwandeln.
Zum Beispiel begießen.

(gießt die Erde)

Oder Dünger zugeben.

(streut Dünger auf die Erde)

II Die verwandelte Erde kann mehr.
Sie kann Wunder tun.
Wenn ich Samenkörner in sie säe,
wird sie mit ihrer Feuchtigkeit
die Körner öffnen und mit Mineralien nähren.

(streut Samenkörner auf die Erde und bedeckt sie mit Erde)

III Verwandlung ist eine Vision.
Schon ahne ich, was aus den Körnern werden wird.
Ich habe ein Bild vor Augen.
Eine schöne, blühende Blume.
Eine reife Ähre.
Die Vision verwandelt mich,
verwandelt uns.

(steckt eine blühende Blume in die Erde)

Segnen Gott von Ewigkeit zu Ewigkeit:
Segne unser Tun und Lassen,
segne Arbeit und Ruhe,
den Festtag und den Alltag;
segne uns mit deiner Kraft,
mit deiner Phantasie,
mit deiner Liebe
bis wir alle heil und ganz sind in deinem Reich.

HOFFEN KÖNNEN WIE DU

AUFNAHME MARIENS IN DEN HIMMEL

Vorbereitung
- Kräuterstrauß

Einstimmen Ob die Welt gelungen oder misslungen ist, darüber streiten sich die Gelehrten. Viele sehen den Hass und die Katastrophen. Und sie urteilen, die Welt sei die allerschlechteste. Als Christinnen und Christen denken wir anders. Bei all den großen Problemen der Welt glauben wir doch, dass die Welt in Gottes Hand liegt. Wir glauben an die Kraft der Erlösung in Jesus Christus.

Wenn wir heute, am 15. August, das Fest der Aufnahme Marias in den Himmel feiern, dann tun wir das in christlicher Zuversicht: Maria, so glauben wir, ist ganz bei Gott – mit allen Fasern ihres Wesens, mit Leib und Seele.

Die christliche Tradition hat für diese Hoffnung ein schönes Symbol gewählt: die Kräuterbüschel. Was vielfach als Unkraut gilt, das sind in Wirklichkeit oft Heilkräuter, mit denen sich Schmerzen lindern und Krankheiten heilen lassen. Dies hier ist ein Kräuterstrauß aus sieben Pflanzen: Johanniskraut, Distel, Klette, Nachtkerze, Natternkopf, Blutweiderich und Kamille – alles Feld-, Wald- und Wiesenblumen, denen wir keinen besonderen Wert beimessen. So wie viele Menschen in diesen Kräutern Heilpflanzen sehen, so sehen Gläubige in Maria eine geistliche Heilpflanze. Sie hat uns Christus geboren. Und bis heute ist sie für viele eine sehr aufmerksame Ansprechpartnerin in Leid und Not.

Um Vergebung bitten

Herr, Jesus Christus, manchmal fühlen wir uns wie Unkraut – zu nichts nütze. Du zeigst uns, dass wir als deine Geschöpfe wertvoll und von dir geliebt sind.
Herr, erbarme dich.

Herr, Jesus Christus, manchmal ist unsere Hoffnung schwach und wir stimmen ein in den Chor derer, die jammern. Du aber willst, dass diese Welt gerettet und erlöst wird.
Christus, erbarme dich.

Herr, Jesus Christus, manchmal verschließen wir uns der Liebe. Wir haben Angst und verweigern einander die Zuwendung. Du aber bist der Gott der Güte und des Erbarmens.
Herr, erbarme dich.

Beten Gott, du bist bei uns, ob wir stark sind oder schwach. Du kennst unsere Lebensfreude und unsere Liebe, aber auch die Wunden, die wir einander zufügen. Öffne unser Herz und unseren Mund, lass uns in den Lobgesang Marias einstimmen, die du mit Leib und Seele in den Himmel aufgenommen hast und die für uns das Hoffnungszeichen unserer Erlösung ist.

Hören Lk 1,39–56

Vertiefen

Zwei Frauen begegnen sich. Elisabet, die ältere, hat ein Leben lang darauf gewartet, dass ihr Herzenswunsch erfüllt wird: die Geburt eines Kindes. Vergeblich. Ausgerechnet jetzt, da sie alt ist, soll es geschehen. Auch Maria, die Jüngere, soll durch ein Wunder ein Kind bekommen. Durch das Wirken des Heiligen Geistes. Schnell sind wir versucht, solche Geschichten als unglaubhafte Wundergeschichten abzutun.

Wer genauer hinsieht, entdeckt: Das äußere Wunder ist gar nicht so wichtig. Es geht in dieser Erzählung zunächst einmal um eine ganz liebevolle Begegnung. Maria steigt in das Bergland hinauf, um ihre Kusine zu besuchen und ihr ganz praktisch zur Hand zu gehen. Ist nicht schon diese Liebe ein Wunder?

Dann singt sie ein Lied, das uns fast den Atem stocken lässt. Die Mächtigen werden vom Thron gestürzt. Den Reichen wird ihr Reichtum weggenommen. Die Hungernden bekommen Brot, und jene, die jetzt satt sind, werden mit leeren Händen dastehen. Das ist kein frommes Lied, das ist eher ein Revolutionsgesang. Lukas will seinen Leserinnen und Lesern schon im ersten Kapitel seines Evangeliums sagen, worum es geht: Glaube ist Begegnung. Eine neue Ordnung gilt. Die Kleinen sind groß bei Gott. Die selbsternannten Größen sind erbärmlich. Was so unglaublich klingt, Maria glaubt es. Was ist das für ein Glaube?

In einem neuen Marienlied heißt es:

Glauben können wie du:
das Leben bejahen, wie Gott es mir gab,
und hören mit fröhlichem Herzen sein Wort
und mit dir singen:
„Großes hat er getan."
So will ich glauben, Maria.

Das Fest Mariä Aufnahme in den Himmel zeigt wie unter einem Vergrößerungsglas, wohin solcher Glaube führt. Himmel – was ist das? Eine uralte Ikone zeigt das Geheimnis des heutigen Festes – die Aufnahme Marias in den Himmel – auf eine fast humorvolle Weise. In der Mitte ein großes Bett, auf dem Maria liegt. Ihr Sterbebett. Um sie herum die Apostel. Sie stehen mit weit aufgerissenen Augen da und strecken die Hände aus – so als wollten sie Maria festhalten. Maria schaut mit gelöstem und wachem Blick die Apostel an, ihre Hände verbirgt sie unter der Decke. So als wollte sie sagen: Haltet mich nicht fest. Ich darf jetzt gehen. Ihr aber habt euren Platz hier auf der Erde. Ihr habt eine Mission: der Welt die Hoffnung geben. Ihr seid die Zeugen der Auferstehung. Gebt der Welt die österliche Hoffnung, lasst sie nicht in Verzweiflung versinken.

Noch mehr als den Glauben brauchen die Menschen des 21. Jahrhunderts eine tragfähige Hoffnung. Die Hoffnung, dass die Welt nicht zum Teufel geht. Die Hoffnung der Verantwortung, die alles tut, um die Erde zu retten. Die Hoffnung, die der Schöpfung geschwisterlich begegnet und sie schont.

In der zweiten Strophe des genannten Marienliedes heißt es:

Hoffen können wie du:
Den Frieden bereiten; das Mögliche tun
und Jesus vertrauen, dem Freund, der mich kennt,
und dem Wort folgen:
„Was er euch sagt, das tut!"
So will ich hoffen, Maria.

Glaube – Hoffnung – Liebe. Maria zeigt uns diesen dreifachen Weg. Hätte sich Gott nicht in den Menschen verliebt, wäre er nicht selbst Mensch geworden. Geboren aus einem Menschen – Maria. Sie ist eine Liebeserklärung Gottes an die Welt. Ihr Leben zeigt uns, dass die Liebe manchmal sehr verschlungene Wege geht. Wege durch den Zweifel und die Angst. Wege, die auch unter das Kreuz führen. Gott allein hat die Kraft, das Kreuz zu verwandeln. Gott allein hat die Kraft, mit der österlichen Sonne das Dunkel zu überstrahlen. Heute feiern wir das marianische Osterfest. Die Frau Maria, aufgenommen in den Himmel – mit Herz und Geist, mit Leib und Seele. Als Vorbotin der Milliarden Frauen und Männer der Erde. Als Botin der Liebe.

Lieben können wie du:
Bereit sein und da sein, wo jemand mich braucht.
Wie Jesus sogar meinen Feinden verzeihn
und auf ihn hören:
„Ihr seid das Licht der Welt."
So will ich lieben, Maria.

Bitten Wir beten für die Menschen, für die sich Maria im Magnificat einsetzt – für die Niedrigen und Hungernden, die Entrechteten und Kleingemachten. Gott sieht, was sie bedrängt. An ihn wenden wir uns voll Vertrauen mit unseren Bitten:

- Wir beten für alle, die in unserer Gesellschaft Dienste tun, die oft nicht wahrgenommen werden: die Müllmänner und Putzfrauen, Reinigungsdienste und Wachleute und alle, die für Löhne arbeiten müssen, von denen sie kaum leben können.
- Wir beten für die schwer Erkrankten, die um ihre Gesundheit bangen, für die Alleinlebenden, die soziale Kontakte vermissen, für die Trauernden, die ihren Schmerz still erdulden.

- Wir beten für Menschen, die nicht daran glauben können, dass sie geliebt und wertvoll sind, und für jene, die mit ihrem Leben nicht mehr zurechtkommen.
- Wir beten für junge Menschen, die keine Chance auf eine Lehrstelle, einen Studienplatz oder einen Arbeitsplatz haben.
- Wir beten für alle Schülerinnen und Schüler sowie für die Lehrkräfte, die miteinander in ein neues Schuljahr starten.
- Wir beten für unsere Verstorbenen und besonders auch für jene, die durch Hunger, Gewalt oder auf tragische Weise ihr Leben verloren haben.

Du, Gott, schenkst uns Leben in Fülle. Du schenkst jenen Ansehen, die immer wieder erniedrigt werden. Dafür danken wir dir und loben dich in der Kraft des Heiligen Geistes, heute und alle Tage unseres Lebens.

Danken

Jesus, unser Bruder und Freund, du hast Maria aufgenommen in den Himmel. Du lässt auch uns teilhaben an der Kraft der Erlösung. Dafür danken wir dir. Schenke uns den Mut, Schritte zu gehen, die dein Reich auf dieser Erde sichtbar machen. Schenke uns Geduld und Freude, Glaubenskraft und Dankbarkeit.

Segnen

Wir bitten um den Segen für uns alle. In diesen Segen schließen wir auch die Kräuterbuschen ein, die hier vor dem Altar liegen.

Guter Gott, viele Pflanzen der Natur sind uns Arznei. Segne daher diese Kräuter und Früchte, die wir zum Fest der Aufnahme der Mutter Jesu gesammelt haben. Segne uns und die Welt. Heile, was krank ist. Richte auf, was darniederliegt. Schenke uns die Vollendung, die du Maria schon gegeben hast.
Das gebe uns der lebendige und dreifaltige Gott, der Vater und der Sohn und der Heilige Geist.

DU TRÄGST DIE LAST

KREUZERHÖHUNG

Vorbereiten

- Ein langes Seil oder ein dickes Band aus Wolle (wenn möglich rot, ca. 50 m)
- Plakate, die am Seil angebracht werden
- Glocke oder Klangschale

Einstimmen Das Kreuz mit dem Kreuz – keine Frage, auch überzeugte Christen haben ihre Not. Wie kann ein Folterwerkzeug Zeichen der Erlösung sein? Warum fordert Gott den Tod seines Sohnes? Warum reden wir unter Christinnen und Christen so viel von der Kreuzesnachfolge? Fragen, die wir nicht so ohne Weiteres beantworten können.

Heute feiert die Kirche das Fest „Kreuz Erhöhung". Die Kaiserin Helena habe – so sagt die Überlieferung – das Kreuz in Jerusalem gefunden und dann zur Verehrung aufgestellt. Was bedeutet das Kreuz für uns, für unseren Glauben, für unsere österliche Hoffnung? Was gehen uns die Kreuze der Menschen und der Kreaturen an?

Singen Per crucem tuam (Taizé-Gesang)

Beten Guter Gott, du lädst uns ein in dein Haus und heißt uns als deine Gäste willkommen. Du willst nicht, dass wir in Angst vor dir erstarren. Du willst, dass wir in deiner Gegenwart aufatmen und frei sind.
Schenke uns die Haltung der Kinder, die empfangen, ohne zu berechnen, die ihre Hände öffnen und sich reich beschenken lassen. Lass uns dein Wort wie einen kostbaren Schatz aufnehmen und uns an ihm ausrichten wie an einem Leuchtturm im Meer.
So bitten wir dich durch Jesus, unseren Bruder, der mit dir und dem Heiligen Geist lebt und liebt in alle Ewigkeit.

STATION 1: HINAUFGESTIEGEN – HERABGESTIEGEN

An der Ecke unter der Empore versammeln sich alle in einem Halbkreis. Jemand lässt langsam ein (rotes) Seil oder einen dicken roten Wollfaden von der Empore herunter. Unten wird das Seil in eine Art Spirale gelegt.

I Ein rotes Seil – von oben nach unten. Oder von unten nach oben – je nachdem, wie man es sieht. – Und wie ich vermute, habt ihr dazu bestimmt eine passende Bibelstelle parat.

II Stimmt! – Es ist eine merkwürdige Geschichte. In einer Nacht kommt ein gewisser Nikodemus, ein angesehener Ratsherr, zu Jesus und fragt ihn, wie das mit dem Reich Gottes gemeint sei. Und was man tun müsse, um hineinzukommen.

III Jesus sagt: „Niemand ist in den Himmel hinaufgestiegen außer dem, der vom Himmel herabgestiegen ist: der Menschensohn.“ (Joh 3,13)

I Hinaufgestiegen – herabgestiegen … Ist das ein Koan? Ein Rätselwort, an dem man sich die Zähne ausbeißen soll?

II	Jesus spricht vom „Menschensohn". Damit meint er sich selbst. – Und er meint auch uns. Menschensöhne und Menschentöchter.
I	Ich frage mich, was das mit diesem Seil zu tun hat. Sind wir etwa alle vom Himmel herabgestiegen?
II	In gewissem Sinn schon. Wir sind keine Kinder des Zufalls. Wir sind aus Gott geboren, sagt die Bibel. Wir haben göttliche Würde.

Die letzten 5–8 m Seil werden heruntergelassen. Daran sind Blätter befestigt, auf denen die folgenden Sätze stehen: „Kind Gottes" – „Die Würde des Menschen ist unantastbar" – „Jede ist einmalig" – „Aus Gott geboren".

Singen So sehr hat Gott die Welt geliebt (GL 298)

STATION 2: DIALOG MIT NIKODEMUS

Alle gehen in den Stuhlkreis.

*I (Interviewer*in)*

Hier treffen wir Nikodemus. Wir nutzen die Gelegenheit, ihm einige Fragen zu stellen. Nikodemus, du kamst damals mit vielen Fragen zu Jesus. Hat er sie denn beantwortet? Etwa die Frage, wer Gott ist? Die Frage nach dem Kreuz und Leid in der Welt?

N (Nikodemus)

Jesus hat nie gesagt, dass er auf alle unsere Fragen eine Antwort weiß. Er hat auch nie gesagt, dass er am Kreuz uns Menschen alles Leid abnimmt. Er hat etwas viel Tröstlicheres gesagt. „Ich, wenn ich über die Erde erhöht bin, werde alle zu mir ziehen." (Joh 12,32) Das habe ich erlebt. Er hat mich an sich gezogen wie einen Bruder.

I Du warst ja ein angesehenes Mitglied des Hohen Rates und kamst in der Nacht, um nicht gesehen zu werden. Was ist in dieser Nacht geschehen?

N Es war nicht so, dass ich da plötzlich wie verwandelt war. Es war eher so, dass Jesus ein Samenkorn in mein Herz gelegt hat. Ein noch kleines Samenkorn. Ein beginnender Glaube, eine keimende Liebe. Ich war danach immer noch skeptisch. Ich habe mich lange nicht getraut, mich zu Jesus zu bekennen.

I Aber dann hast du dich doch im Hohen Rat für Jesus eingesetzt?

N Ja, als ein Teil der Ratsmitglieder den Beschluss fassen wollte, Jesus zu töten, da habe ich protestiert. Ich habe mich zu Wort gemeldet und gefragt: „Verurteilt etwa unser Gesetz einen Menschen, bevor man ihn verhört und festgestellt hat, was er getan hat?“ (Joh 7,51) Aber es kam dann doch so. Sie haben ihn verurteilt und gekreuzigt. Es war schrecklich.

I Wie der Evangelist schreibt, hast du dich ausgerechnet beim Tod Jesu zu ihm bekannt. Das war dann doch der Bruch mit der Elite, oder?

N Ja, das war es, aber ich konnte mich nicht mehr zurückhalten. Jetzt war Klarheit gefordert. Ich musste mich einfach offen bekennen. Ich habe keine große Rede gehalten. Ich habe zusammen mit Josef von Arimathäa dafür gesorgt, dass der Leichnam Jesu würdig begraben wird. Das war streng verboten. Ein Gekreuzigter durfte nicht in ein Grab gelegt werden. Wir haben uns dieser Anordnung widersetzt. Wir haben kostbare Öle und Salben besorgt, eine Mischung aus Myrrhe und Aloe. Wir haben den Leichnam Jesu mit Leinenbinden umwickelt und in ein Felsengrab gelegt.

I Das war, wie wir es heute sagen, deine „Umkehr“. Da gab es kein Zurück mehr.

N Das stimmt. Und ich war mir dessen auch bewusst. Ich wollte dieses Zeichen setzen. Aber es hat seine Zeit gebraucht, bis ich so klar entschieden war. Glaube ist ein Weg. Schritt für Schritt habe ich zu Jesus gefunden und verstanden, was er mir schon damals in der Nacht gesagt hat: „Gott hat die Welt so sehr geliebt, dass er seinen einzigen Sohn hingab, damit jeder, der an ihn glaubt, nicht verloren geht, sondern ewiges Leben hat.“ (Joh 3,16)

I Du betonst das Wort „hingegeben“ so stark. Was hat es damit auf sich?

N „Hingeben“ ist das Schlüsselwort, um Jesus zu verstehen. Er hat sich seinem Gott hingegeben. Und uns Menschen. Das Kreuz ist das Zeichen der liebenden Hingabe.

I Kannst du uns sagen, was das für uns heute bedeutet – Hingabe?

N Ich glaube, Hingabe ist auch das Schlüsselwort für alle, die Jesus nachfolgen. Man muss nicht gleich sein Leben hingeben. Hingabe heißt: ganz da sein. Mit Kopf und Herz seine Aufgabe erfüllen. Mit Leidenschaft lieben, nicht nur ein bisschen. Nur wer sich hingibt, kann die Welt verändern.

STATION 3: DER BLICK ZUM KREUZ

Jemand legt das Seil in Schlangenlinie bis zur Mitte hin. Alle folgen der Schlangenlinie und bilden in der Mitte einen Kreis.

I	Wie ein roter Faden geht das Seil durch unsere Kirche. Und wie im richtigen Leben ist der rote Faden nicht gerade, sondern eine Schlangenlinie – ein geschwungener oder sogar verschlungener Weg.
II	In der Bibel stoßen wir immer wieder auf das Bild von der Schlange. In der Schöpfungsgeschichte ist es die Schlange, die den Menschen verführt. Und im Buch Numeri wird von einer Schlangenplage berichtet, die das Volk bedroht. Als die Israeliten zu Mose schreien, heißt es:
III	„Der HERR sprach zu Mose: Mach dir eine Feuerschlange und häng sie an einer Stange auf! Jeder, der gebissen wird, wird am Leben bleiben, wenn er sie ansieht. (Num 21,8)
II	Ist das nicht Magie und Aberglaube? Eine Schlange anschauen kann doch nicht gegen deren Biss helfen.
I	Vielleicht müssen wir da den tieferen Sinn sehen. Wenn ich zum Beispiel meine Angst anschaue, ist sie nicht so tückisch, als wenn ich meinen Kopf in den Sand stecke. Wenn ich mich der Gefahr stelle, bekommt sie keine Macht über mich.
III	So möchte ich das verstehen, was Jesus zu Nikodemus sagt: „Wie Mose die Schlange in der Wüste erhöht hat, so muss der Menschensohn erhöht werden, damit jeder, der glaubt, in ihm ewiges Leben hat." (Joh 3,14 f.)
II	Ich finde, das Kreuz ist auch heute für viele ein heilendes Meditationsbild. Wer an die Kraft des Kreuzes

glaubt, erfährt Heilung. Vielleicht nicht Heilung seiner Krankheit, aber Heilung seines Herzens.

I So gehen wir mit unserem Seil noch ein paar Schritte weiter zum Altar hin und bringen vor Gott, vor Jesus, unsere eigenen Kreuze und die Kreuze der Schöpfung.

Um dem Altar, wo das rote Seil endet, versammeln sich alle im Kreis.

III Jesus sagte zu Nikodemus:
„Gott hat seinen Sohn nicht in die Welt gesandt, damit er die Welt richtet, sondern damit die Welt durch ihn gerettet wird. (Joh 3,17)

längere Stille

Singen So sehr hat Gott die Welt geliebt (GL 298)

Bitten Jesus Christus ist seinen Weg durch Leiden und Sterben zur Auferstehung gegangen. Im Gebet wollen wir ihm besonders jene anvertrauen, die ein Kreuz zu tragen haben.

- Menschen, die wegen ihrer Überzeugung, wegen ihrer Hauptfarbe, wegen ihrer Art zu leben, ausgegrenzt und gedemütigt werden.
- Kinder, denen Hunger, Armut, Krieg und Gewalt den Weg in ein freies, gesundes Leben verbauen.
- Menschen, die den Verlust eines Lebenspartners oder Freundes betrauern und alle, die sich allein gelassen und verraten fühlen.
- Die Arbeitslosen und die Kranken und jene, die – ohne dass es ihre Umwelt zur Kenntnis nimmt – ein schweres Leid tragen.
- Unsere Gemeinde, in der wir uns – auch in Leid und Not – gegenseitig stärken, trösten und unterstützen.

- Die Toten, denen wir uns über ihr irdisches Leben hinaus verbunden wissen und denen wir Gottes Erbarmen und seine liebende Nähe wünschen.

Wir preisen dich, Herr, Jesus Christus, hier und in allen Kirchen auf der ganzen Welt, weil du durch dein heiliges Kreuz die Welt erlöst hast.

Vaterunser

Singen

Du trägst die Last
Du trägst die Last,
die dir die Welt verpasst.
Die Schöpfung leidet schwere Not,
weil unsre Habgier sie bedroht,
Du trägst die Last,
die dir die Welt verpasst.

Der Menschen Stolz
schlägt dich ans Marterholz.
Du wirst verspottet und verlacht
Und sagst erschöpft: „Es ist vollbracht!"
Der Menschen Stolz
schlägt dich ans Marterholz.

Der Stein ist schwer –
und doch: Das Grab ist leer.
Es dämmert schon, der Tag bricht an.
Ob das ein Anfang werden kann?
Der Stein ist schwer –
und doch: Das Grab ist leer.

KLAR WIE WASSER

FRANZISKUS VON ASSISI

Vorbereiten

- Auf dem Altar stehen eine Menora und ein Korb mit Brot.
- In der Mitte des Raumes sind ein San Damiano-Kreuz und eine Friedenskerze oder Osterkerze aufgestellt.
- CD-Player und Musik
- Liedblatt
- Gong oder Klangschale

Die Gemeinde trifft sich vor der Kirche um den Brunnen (wo kein Brunnen ist, kann auch am Eingang eine große mit Wasser gefüllte Schale aufgestellt werden).

Gong – Stille

Eintreten

*Leiter*in* Wir stehen um den Brunnen (um diese Schale mit Wasser). Und wenn wir ganz still sind, hören wir das Wasser leise singen.

I *spricht von einem Ort aus, an dem er/sie nicht gesehen wird*

Ich singe mein Lied,
weil euer Leben so kostbar ist.
Ich singe mein Lied,
weil ich den Durst aller Geschöpfe stillen darf.

Ich singe mein Lied für einen,
der so klar war wie Wasser.
Für einen, der in aller Lauterkeit
die Geschöpfe liebte und vor allem den Schöpfer.

Ich singe mein Lied für Giovanni Francesco Bernadone,
den heiligen Franz von Assisi, den ihr heute feiert.
So schweigt einen Augenblick und lauscht meinem Lied.

Gong – Stille

Singen Sonnengesang I (aus dem Liederbuch „Sonnenmusikant" Nr. 68, 1–6 oder aus einer anderen Vertonung des Sonnengesangs)

Alle gehen still in die Kirche.

Einstimmen

I
Durch eine enge Tür sind wir gekommen.
Wir mussten einander Platz machen.
Anderen den Vortritt lassen.
Warten.
Einen neuen Raum betreten.

II
Durch eine enge Tür sind wir gekommen.
Damals.
Als wir geboren wurden.
Wir verließen den wärmenden Mutterschoß.
Wir kamen in eine kalte Welt.
Und doch: Es war die Tür zum Leben.

III
Durch eine enge Tür werden wir gehen.
An einem Tag, den wir nicht kennen.
Wir werden einen neuen Raum betreten.
Gott wird uns erwarten.
Er wird uns Platz nehmen lassen am Tisch des Lebens.

Meditative Musik

Erzählen

I Wie ist es nur möglich, dass wir den Tod eines Menschen feiern?
Wie ist es möglich, ihn Bruder zu nennen?
Herr, sei gelobt durch unseren Bruder, den leiblichen Tod?

II Franziskus war es, der den Tod Bruder nannte. Er hat seinen eigenen Tod als Fest gefeiert. Er hat damit ein Zeichen gesetzt und ein Hoffnungslicht angezündet.

zündet die Friedenskerze an

Hört die Geschichte von seinem Sterben. Hört sie aus dem Mund seiner Gefährtin und Vertrauten: Klara von Assisi. Mit dem Herzen war sie bei ihm in der Stunde seines Todes. Mit ihrem Gebet hat sie ihn begleitet.

III Es war zwei Jahre vor seinem Tod. Franziskus war sehr krank. Aus dem Orient hatte er ein schlimmes Augenleiden mitgebracht. Er konnte das Tageslicht nicht mehr ertragen. Darum hatte er uns gebeten, im Garten unseres Klosters San Damiano aus Binsen eine kleine Zelle für ihn herzurichten. In den folgenden Wochen durchlebte er wohl die dunkelste Nacht seines Lebens.
Schlimmer als die körperlichen Leiden waren die seelischen Schmerzen und die Zweifel. Ich habe mein Leben verwirkt und Gott maßlos enttäuscht, sagte er immer wieder.
Dann aber geschah etwas Unvorstellbares. Ausgerechnet in dieser Dunkelheit sah er wieder Licht. Es war, als ob ihm eine innere Stimme sagte: Es liegt ja doch gar nicht an dir, Franziskus, ob dein Leben gelingt. Es liegt doch allein an Gott. Warum verzweifelst du? Warum vertraust du nicht?

Da fielen die Zweifel von ihm ab. Ja, es liegt allein an Gott, sagte er. Er konnte sich wieder freuen – an den Blumen, an den Früchten, an der Erde. Alles ist ein Sinnbild des Höchsten, sagte er: die Sonne, die Erde, das Wasser, alles.
Er bat mich, Tinte und Papier zu bringen, und in wenigen Tagen schrieb er seinen Sonnengesang: Herr, sei gelobt …

Singen Sonnengesang II („Sonnenmusikant" Nr. 68, 1–6 oder eine andere Vertonung des Sonnengesangs)

Erzählen

I Nach den dunklen Wochen, die Franz bei uns in San Damiano zugebracht hatte, blieben ihm noch zwei Lebensjahre. Sein Körper war geschwächt, aber seine Seele war heiter.
Als es dann mit ihm zu Ende ging, bat er die Brüder, ihn nach Portiunkula zu bringen – dorthin, wo alles angefangen hatte. Bruder Thomas von Celano hat es uns genau aufgeschrieben.

II Franziskus ging seinem Bruder Tod, wie er ihn nannte, geradezu mit einer heiligen Begeisterung entgegen. Nackt ließ er sich auf den Boden legen, um zu zeigen, dass er nichts mehr sein Eigen nennen wollte und nur auf Gott sein Vertrauen setzte.
Zu seinen Brüdern sagte er: Was ich tun konnte, das habe ich getan; möge nun Christus euch lehren, was ihr tun sollt.

III Es war eine ergreifende Szene. Die Brüder weinten, da ließ Franziskus Brot bringen. Er segnete es und gab jedem ein Stück zu essen. Einer der Anwesenden, den Franziskus ganz besonders mochte, erkannte, dass nur noch ein Hauch von Leben in ihm war. Darum sprach er Franziskus an und sagte: Weh uns, wir werden bald wie Kinder sein, die keinen Vater mehr haben. Gewähre uns noch eine Bitte: Sprich uns frei von unserer Schuld und gib uns deinen Segen.

Franziskus entgegnete: Denkt daran, dass es Gott ist, der mich ruft. Ich will aber allen Brüdern – hier in der Nähe und auch in der Ferne – ihre Schuld verzeihen und sie im Namen Gottes freisprechen. Sag ihnen das und segne sie an meiner Stelle!

I Zuletzt ließ er sich das Neue Testament bringen und bat, man möge ihm das Evangelium nach Johannes vorlesen von der Stelle an, wo es heißt: „... Jesus wusste, dass seine Stunde gekommen war ...“

Hören Joh 13,1–10

Erzählen

II Schließlich bat Franziskus, ihn auf ein Tuch zu legen und mit Asche zu bestreuen. Dann starb er.
Seine Seele löste sich von seinem Körper und wurde in das grundlose Meer des Lichts getragen – in Gottes Gegenwart.

Stille

Singen Sonnengesang III („Sonnenmusikant“ Nr. 68,7–8 oder eine andere Vertonung des Sonnengesangs)

Erzählen

III Ich, Klara, erinnere mich an die Tage, die auf sein Sterben folgten. Sofort nach seinem Hinscheiden hatten uns die Brüder die traurige Nachricht überbracht. Aber sie wollten auch uns Schwestern ermöglichen, von ihm Abschied zu nehmen.
So brachten sie den Leichnam nach San Damiano. Unsere Trauer war groß, und doch waren wir voller Trost und Zuversicht. Wir waren uns bewusst: Unser Bruder findet seine Vollendung im Licht Gottes.

Singen Halleluja (Melodie GL 483)

So wie der Morgen nach einer langen Nacht,
so wie ein Quell in der Wüste,
so ist das Leben, das Christus uns gebracht.
Halleluja, halleluja.[1]

Gehet nicht auf in den Sorgen dieser Welt,
suchet zuerst Gottes Herrschaft.
Und alles andere wird euch dazu geschenkt.
Halleluja, Halleluja.

Instrumentalmusik

Bitten

(Die einzelnen Bitten sind den aktuellen Bewegungen in Kirche und Gesellschaft anzupassen.)

Alle, die eine Bitte lesen, zünden eine Kerze der Menora an. Nach jeder Bitte wird der Ruf gesungen: „Sende deinen Geist aus und alles wird neu."

Im Vertrauen, dass Gott uns nahe ist, im Glauben, dass er uns den heiligen Franz als Wegweiser und Wegbegleiter gegeben hat, bringen wir die Menschen und die Welt vor ihn und bitten um seine liebende Nähe:

Ruf Sende deinen Geist aus und alles wird neu.

- Wir zünden ein Licht an für unsere Kirchen, für die wir erhoffen, dass sie mutige Wege der Erneuerung gehen werden. Wir wünschen und erbitten den reformwilligen Frauen und Männern viel Kraft und Gottes Geist.
- Wir zünden ein Licht an für die junge Generation – für die Kinder und die Jugendlichen. Sie erwarten zu Recht von uns Erwachsenen, dass wir uns durch unser persönliches Beispiel und eine mutige Politik für einen neuen Umgang mit der Erde einsetzen.

1 Text dieser Strophe: Helmut Schlegel

- Wir zünden ein Licht an für die Regionen der Erde, in denen der Friede und das gesellschaftliche Zusammenleben gefährdet sind. Uns alle bewegt der Wunsch und der Wille, dass das Gemeinsame stärker sei als das Trennende und dass wir mit Verstand und Mut an einer menschenwürdigen Welt arbeiten.
- Wir zünden ein Licht an für unser Volk, das heute seinen nationalen Gedenktag begeht. Wir erinnern uns der vielen Wunden unserer Geschichte und bitten, dass wir daraus lernen und dass wir alle Formen von Nationalismus und Rassismus abwehren.
- Wir zünden ein Licht an für die internationalen Bemühungen, der Klimakatastrophe Herr zu werden. Wir sind uns bewusst, dass wir alle gemeinsam in einem Boot sitzen und als die reichen Länder des Nordens vorrangig Verantwortung tragen für eine gerechtere Verteilung der Güter.
- Wir zünden ein Licht an für alle, die uns gut sind und nahestehen: für unsere Eltern, Kinder und Geschwister, für unsere Lebenspartner und Angehörigen, für die Schwestern und Brüder unserer Gemeinden und Gemeinschaften. Unser Zusammenleben möge geprägt sein von Verständnis, Verzeihen und Güte.
- Wir zünden ein Licht an für unsere Toten und bitten, dass Christus selbst ihr Licht sei; dass ihnen vergeben wird, und dass sie ihre Heimat finden in der Liebe Gottes.

Brot segnen

*Leiter*in* „Unser tägliches Brot gib uns heute“, beten wir im Vater unser. Uns allen gibt Gott Brot und alles, was wir zum Leben brauchen. Franziskus hat vor seinem Sterben Brot gesegnet und es mit seinen Brüdern geteilt. Wir werden im Anschluss an diese Feier miteinander teilen und feiern.
Und so segnen auch wir dieses Brot. Und wir erbitten damit den Segen für uns alle, dass wir einander Nahrung zum Leben sind.

Gott segne unser Brot.
So wie das Korn wächst in Regen und Sonne, lass auch uns wachsen in deiner Liebe.
So wie das Korn gemahlen wird, um Brot zu werden, so verwandle uns, dass wir Brot werden für andere.
So wie sich das Mehl mit dem Wasser mischt und zu einem Ganzen wird, so füge uns zusammen zum Leib Christi.
So wie der Duft des gebackenen Brotes das Haus erfüllt, so dufte unser Leben nach Liebe und Frieden.
So wie wir das Brot brechen, um den Hunger zu stillen, so mögen auch wir bereit sein zu teilen und uns mitzuteilen.
Segne uns, Gott, mit dem Brot des Lebens, Jesus Christus, der sich hingibt, damit wir das Leben in Fülle haben.

Vaterunser Lasst uns gemeinsam das Tischgebet sprechen und mit Jesus beten: Vater unser …

Singen Voll Vertrauen gehe ich (Sonnenmusikant Nr. 34)

Einladung zum gemeinsamen Mahl

DURCHLÄSSIG FÜR DAS LICHT

ALLERHEILIGEN

Einstimmen Haben Sie schon einmal darüber nachgedacht, warum die meisten Kirchen bunte Fenster haben?
Es gibt einen ästhetischen Grund: Durch die Fenster wird das Licht gebrochen, eine Atmosphäre der Stille und Geborgenheit entsteht. Es gibt auch einen theologischen Grund: Niemand kann in die Sonne schauen. Wer es tut, wird geblendet und schließlich blind.
Niemand von uns – solange wir auf dieser Erde leben – kann Gott schauen. Wir ertragen sein Licht nicht. Wir werden geblendet von seiner Wirklichkeit. Aber wir können Gott in Bildern schauen: in den Farben der Erde, in den Gesichtern der Kinder.
In vielen Kirchenfenstern werden Heilige dargestellt. Das ist ein starkes Symbol. Die Heiligen sind wie bunte Fenster. Sie sind nicht selbst das Licht. Sie sind durchlässig für das Licht, für Gott. Uns tun sie gut. Uns geben sie die Chance, das Licht irdisch und mit irdischen Augen zu sehen.

Um Vergebung bitten

Wir kommen zum Herrn, vertrauend, hoffend, zweifelnd, glaubend:

Wir bringen dir unsere Welt:
Ort der Lebenden, Ort der Sterbenden;
Ort der Geburten, Ort der Gräber.
Herr, erbarme dich.

Wir bringen dir unser Leben:
Heimat und Fremde, Freude und Trauer,
Schmerz und Hoffnung, Angst und Glück.
Christus, erbarme dich.

Wir bringen dir unsere Sehnsucht:
Mehr Frieden, weniger Gewalt;
mehr Gerechtigkeit, weniger Hunger.
Jemand der Ja sagt zu dir und mir.
Herr, erbarme dich.

Jesus Christus, in dir sind wir geheilt, sind Kinder des lebendigen Gottes. Heile und heilige uns, damit wir dir entschieden folgen.

Beten Gott, du allein bist das reine Licht. Du leuchtest in heil gewordenen Menschen. Was sie sind, sind sie durch dich – so wie das Fenster leuchtet, wenn die Sonne hindurchscheint.
Lass uns in ihnen dich erkennen: deine ungetrübte Güte, deine strahlende Klarheit, deine unbegrenzte Liebe. Hilf uns, dass auch wir transparent werden für deine Gegenwart und Strahlkraft, die alles verwandelt.

Hören Lk 23,32–43 oder eine der Tageslesungen

Vertiefen
Wissen Sie, wer der erste Mensch war, der heiliggesprochen wurde. Es war der heilige Dismas! Das sagt Ihnen vielleicht nichts, aber Sie kennen diesen Mann. (Sie haben eben im Evangelium von ihm gehört). Es war kein guter Mensch, kein Apostel, kein Kirchgänger, kein Frommer, kein Barmherziger. Es war jener Schächer oder Verbrecher, der mit Jesus gekreuzigt wurde. Sein Leben war verpfuscht. Aber in der letzten Stunde, da kommt etwas von ganz tief unten aus seinem Herzen. Da kommt die Ursehnsucht nach Erlösung. Als er Jesus neben sich spürt und ihn anblickt, da macht er eine innere Kehrtwendung und sagt: „Jesus, denk an mich, wenn du in dein Reich kommst!" (Lk 23,42) Und Jesus antwortet ihm: „Amen, ich sage dir: Heute noch wirst du mit mir im Paradies sein." (Lk 23,43) Hören Sie das gut: Heute noch – mit mir – im Paradies. Das ist die erste Heiligsprechung eines Menschen.

Diese Geschichte macht mir Mut. Wir feiern heute nicht die religiösen Superstars, neben denen wir ganz klein aussehen. Wir feiern ein Fest, weil wir glauben, dass wir alle das Recht haben zu sagen: „Jesus denk an mich!“ Ich möchte darum die Ballade vom „Gästebuch Gottes“ vortragen

Ballade vom „Gästebuch Gottes“

Refrain

Wer steht in deinem Gästebuch
in schönen großen Lettern?
Gott, darf ich, wenn ich dich besuch,
ein wenig darin blättern?

Ich denk, in deinem Gästebuch,
da stehn die Heilgen drin,
die Großen der Geschichte auch,
das macht ja wirklich Sinn.
Maria und die Hildegard,
vielleicht auch Sokrates,
Franziskus, Martin Luther King,
ich glaub', die schaffen es.
Doch du sagst mir: Die kleinen Leute
sind mein größter Schatz.
Wer unter euch die Letzte ist,
kommt auf den besten Platz.

Der Obdachlose dort am Eck,
der sagt, er kenne dich.
Ob „der da oben“ auch ihn kenne,
wüsst er leider nicht.
Er sei bei Kirchens raus und nur
als Heide registriert
und werde bei der Polizei
als Pennbruder geführt.
„Mein Name“, fragt er, „steht der wohl
in Gottes Gästebuch?“
Ich sage: „Ich verspreche dir,
dass ich dich darin such“.

Das Kind im Bus brüllt jämmerlich,
ich sprech' die Mutter an,
ob man den kleinen Störenfried
nicht ruhig halten kann.
Mir tun vom Krach die Ohren weh,
die Nerven liegen blank,
der Blutdruck steigt, der Schädel brummt,
ich glaub, ich werde krank.
Da fällt mir ein, dass du, mein Gott,
ein Freund der Kinder bist.
Du lächelst, wenn in deinem Buch
du ihre Namen liest.

Wenn mich ein Freund beim Namen ruft
und sagt, dass er mich mag,
dann geh ich richtig selbstbewusst
und fröhlich in den Tag.
Ich weiß, ich bin kein Heldenmensch
und auch kein Superstar,
doch wenn ich meinen Namen hör,
das find ich wunderbar.
Ich wüsste gern, ob du, mein Gott,
ihn aufgeschrieben hast.
Steh ich in deinem Gästebuch?
Ich wär' so gern dein Gast.

Bitten

Liebe Heilige,
ich meine Sie, liebe Schwestern und Brüder, und ich glaube, diese Anrede stimmt. Sie gehören zu den Heiligen. So jedenfalls sieht das der Apostel Paulus. Am Ende seiner Briefe schreibt er meistens: Grüßt alle Heiligen von mir. Also auch Sie und mich. Ich lade Sie ein, heute einmal ganz bewusst die Heiligen unseres Alltags zu ehren und für sie zu beten. Dabei stellen wir jeweils eine Kerze auf als Zeichen des Dankes und des betenden Gedenkens.

- Heilige – wir denken an jene Menschen, die es uns leichter machen, an Gott zu glauben. Das sind Menschen neben uns, deren Namen nie in der Zeitung stehen. Es sind Eltern, Freundinnen und Freunde,

Nachbarinnen und Nachbarn, Kolleginnen und Kollegen, Menschen an unserer Seite.
Für sie zünden wir dankbar ein Licht an und denken einen Augenblick an sie.

- Heilige – wir denken an Menschen, die ihre Grenzen kennen, die ihre Fehler und Schuld zugeben und die gerade deswegen auch barmherzig mit anderen Menschen umgehen.
  Für sie zünden wir dankbar ein Licht an und denken einen Augenblick an sie.
- Heilige – wir denken an Menschen, die ein besonderes Gespür dafür haben, wenn andere sie brauchen. Sie besuchen Kranke und alte Menschen, sie tun die unscheinbaren Dienste in Gemeinde und Nachbarschaft.
  Für sie zünden wir dankbar ein Licht an und denken einen Augenblick an sie.
- Heilige – wir denken an Menschen, die treu zu ihren Partnerinnen oder Partnern, zu ihren Familien und ihren Beziehungen stehen, aber auch an jene, deren Partnerschaften zerbrochen sind, die daran leiden und dennoch menschlich damit umgehen.
  Für sie zünden wir dankbar ein Licht an und denken einen Augenblick an sie.
- Heilige – wir denken an Menschen, die einfach dankbar sind und sich an den kleinen Dingen des Lebens freuen. Wir denken an die Spaßmacher und Humoristen, an die Künstler und an alle, die uns die vielfältigen Seiten der Welt zeigen.
  Für sie zünden wir dankbar ein Licht an und denken einen Augenblick an sie.
- Heilige – wir denken an Menschen, die ein schweres Leben haben und dennoch gütig sind, vielleicht sogar ihr Schicksal mit Fassung tragen können. Sie strahlen oft in ihrem Leid eine große Menschlichkeit aus.
  Für sie zünden wir dankbar ein Licht an und denken einen Augenblick an sie.

- Heilige – wir denken an Menschen, die sich solidarisch für jene einsetzen, die Unrecht und Gewalt erleiden. In unseren Gedanken sind die vielen Freiwilligen im Dienst an den Flüchtlingen, an den Obdachlosen, an den Sterbenden und wo immer sie Not sehen und helfen.
  Für sie zünden wir dankbar ein Licht an und denken einen Augenblick an sie.
- Heilige – wir denken an Menschen, die Gottes gute Schöpfung in Ehrfurcht schützen und bewahren. Sie setzen sich ein für sauberes Wasser, gesunde Luft und einen nachhaltigen Umgang mit den Lebensmitteln und den Ressourcen der Erde.
  Für sie zünden wir dankbar ein Licht an und denken einen Augenblick an sie.
- Heilige – wir denken an Menschen, die Gott ernst nehmen, auch wenn sie seine Wege mit der Welt nicht verstehen. Sie wissen, dass wir Gott nie begreifen können und sie vertrauen doch auf seine Zuwendung, seine Menschenfreundlichkeit und Güte.
  Für sie zünden wir dankbar ein Licht an und denken einen Augenblick an sie.
- Heilige – wir denken in Stille an Menschen, die uns sehr nahestehen und denen wir die liebende und heilende Kraft Gottes besonders wünschen.
  Für sie zünden wir dankbar ein Licht an und denken einen Augenblick an sie.

Wir alle sind miteinbezogen in dieses Gebet.
Darum beten wir miteinander und füreinander das Gebet Jesu:
Vater unser …

Segnen

Gott segne uns.
Er erfülle unser Herz mit Ruhe und Wärme.
Unseren Verstand mit Weisheit.
Unsere Seele mit Zärtlichkeit.
Unseren Leib mit Gesundheit.

Gott sei in uns.
Wie ein Vater, in dem alles lebt,
wie eine Mutter voller Güte,
wie ein Gefährte gegen alle Not,
wie der Mut, der uns bewegt,
wie die Treue, die uns tröstet.
Gott sei mit uns, Kraft unseres Lebens.

WO WOHNST DU?

KIRCHWEIH

Vorbereiten

- eine Kopie des Bildes „Der große Weg“ von Friedensreich Hundertwasser für alle Teilnehmer*innen

Musik

Einstimmen

I Wo wohnst du? Für die einen ist das eine unverschämte Frage, denn sie berührt ja den Privatbereich. Für die anderen ist es der Beginn eines interessanten Gesprächs. Sie können dann plaudern über die Schönheiten ihrer Stadt, über die Einrichtung ihrer Wohnung, über die Nachbarn oder über ihr Traumhaus.

II Wo wohnst du? Seit es Menschen gibt, haben sie Orte zum Wohnen. Die ältesten (eiszeitlichen) Wohnungen waren Erdlöcher und natürliche Höhlen, steinzeitlich dann Halbhöhlen und Hütten aus Reisig und Laub. Später gab es in Nordeuropa Pfahlbauten oder Rundbauten mit einfachen Kegeldächern – für uns heute Sehenswürdigkeiten im Urlaub. Ursprünglich sollten diese Wohnstätten vor allem Schutz vor Wind und Wetter, vor Feinden und wilden Tieren bieten. Heute ist Wohnen viel mehr: ein Lebensgefühl, ein Stück Selbstverwirklichung, ein Statussymbol, eine Philosophie, für manche gar eine Religion.

*Leiter*in* Wo wohnst du? Das fragen wir auch Gott. Wir wissen, dass er sich kein Haus aus Stein gebaut hat. Keinen Palast. Keinen Tempel. Und doch fragen wir ihn: Wo wohnst du? Heute, da wir den Weihetag unserer Kirche feiern, fragen wir erst recht: Wohnst du unter uns? Dürfen wir dich besuchen? Oder kommst du gar zu uns auf Besuch?

Singen Wir haben Gottes Spuren festgestellt (GL 840 Limburg)

Anschauen

II Sicher ist jede und jeder von uns schon mal über Bauplänen gesessen. Vielleicht über dem Plan des eigenen Hauses oder der eigenen Wohnung. Bevor jemand anfängt zu bauen oder eine Wohnung zu beziehen, sind unendlich viele Fragen zu beantworten: Wie viele Räume brauchen wir? Wie wollen wir wohnen? Ist die Gegend oder der Stadtteil leicht erreichbar? Ist das Haus oder die Wohnung auch im Alter leicht zugänglich? Wie richten wir uns ein? Und so weiter …

I Ich lade Sie zu einer virtuellen Führung durch Ihre Wohnung ein. Sie brauchen keinen Computer, nur Ihre Fantasie. Sie können Ihre Augen schließen und mit den inneren Augen durch Ihre Wohnung gehen. Wie geht es mir, wenn ich meine/unsere Wohnung betrete? Wo bin ich besonders gerne? Was möchte ich umgestalten? Durch welches Fenster schaue ich gerne? – Bestimmt kommen noch andere Fragen beim stillen Gang durch Ihr Haus oder Ihre Wohnung.

Meditationsmusik

II Wo wohnst du? Diese Frage steht in der Bibel, ziemlich am Anfang des Johannesevangeliums. Jesus besucht den Täufer Johannes am Jordan. Dort hält dieser Bußpredigten und tauft Umkehrwillige. Dem Täufer haben sich etliche junge Männer angeschlossen, unter anderem ein paar Fischer aus Kafarnaum. Der Evangelist erzählt:

Hören Joh 1,35–42

Vertiefen

I

Seltsam. Sie fragen ihn, wo er wohnt. Sie wollen wissen, wie die Stadt heißt, wo sein Haus steht, wie die Menschen heißen, die mit ihm leben: die Verwandtschaft, die Sippe. – Keine Antwort. Nur so viel: „Kommt und seht." (Joh 1,39) Und dann: „Sie blieben jenen Tag bei ihm." (Joh 1,39) Warum nur so kurz? Ein Tag reicht doch nicht, um einen Menschen kennenzulernen. Sie sollten doch nicht nur eine Stippvisite machen, sie sollten ihn doch künftig auf seinem Weg begleiten.

II

Stimmt, liebe Leser, sagt uns der Evangelist. Aber ihr dürft nicht an dieser Stelle hängen bleiben. Lest weiter. Lest das ganze Evangelium. „Bleiben" ist eines der wichtigsten Worte im Johannesevangelium. Lest doch im Kapitel 15. Da heißt es:

Hören Joh 15,4–9

Vertiefen

I

„Wo wohnst du?" bedeutet für Jesus: Wo bist du mit deinem Herzen zu Hause? Seine eigene Antwort heißt: Ich bin zu Hause in ihm, den ich „abba" nenne. Der mein Ein und Alles ist. Mein Mutterschoß. Meine Wohnung. Er ist auch eure Wohnung. Bleibt in mir, dann bleibt ihr in Gott.

II

Der Schreiber des Johannesevangeliums kannte das Erste Testament sehr gut. Vielleicht kam ihm ein Lied in den Sinn, das die Pilgerinnen und Pilger jedes Jahr auf dem Weg zum Tempel in Jerusalem gesungen haben: Psalm 84. Da heißt es: „Selig, die wohnen in deinem Haus, die dich allezeit loben." (Ps 84,5) Eine moderne Fassung dieses Psalms hört sich so an:

Singen *Du bist das Haus, in dem ich wohn (nach Psalm 84)*

Du bist das Haus, in dem ich wohn,
mein Ruhepol und Halt du bist,
in meinem Lied der schönste Ton,
der klingt und schwingt und Friede ist.
Ascheré joschevé veytäká
Gott, bei dir sein ist Freude und Glück.

Und deine Sonne leuchtet mild,
macht hell und heiter mein Gesicht.
Und deine Treue ist mein Schild,
du bist bei mir, vergisst mich nicht.
Ascheré joschevé veytäká
Gott, bei dir sein ist Freude und Glück.

Und Segen hast du mir gesandt
wie Regen, der aus Wolken fließt,
zum Quellgrund wurde Trockenland,
wo Bäume blühn und Leben sprießt.
Ascheré joschevé veytäká
Gott, bei dir sein ist Freude und Glück.

Wie wohl mir deine Güte tut:
ich sing und sag es tausendfach.
Selbst zu den Schwalben bist du gut,
sie nisten unter deinem Dach.
Ascheré joschevé veytäká
Gott, bei dir sein ist Freude und Glück.

Ich weiß, dass du mein Sehnen stillst,
ich kann für immer auf dich baun;
weiß, dass mein Leben du erfüllst –
wie sollte ich dir nicht vertraun?
Ascheré joschevé veytäká
Gott, bei dir sein ist Freude und Glück.

Helmut Schlegel

I	Aber Vorsicht: Gott hat kein Haus. Nur ein Zelt. Das ist ein großer Unterschied. Bemühen wir noch eine Stelle aus der Bibel. Da steht es.
Hören	2 Sam 7,4 – 9

Vertiefen

II

Gott, du bist ein Nomade.
Ein Flüchtender.
Du bist unterwegs mit einem Zelt.
Du liebst das freie Feld.
Nicht die prachtvollen Paläste.
Nicht die festen Mauern.
Nicht die geschmückten Tempel und Kirchen.

Gott, du bist ein Nomade.
Immer auf der Suche.
Wen suchst du? Mich?
Bin ich das Haus, in dem du wohnen willst?
Bin ich der Tempel, den du schmücken willst?
Mit deiner Gegenwart?
Bin ich dein Zufluchtsort?

Gott, du bist ein Nomade.
Dein Himmel ist nicht oben.
Dein Himmel ist hier und dort.
Innen und außen.
Du wohnst im Staubkorn und im Universum.
In meinem Glück und in meinen Sorgen.
Du sagst: Ich bin der Ich-bin.
Du sagst: Wo du bist, bin auch ich.

Bildmeditation

*(Das Bild „Friedensreich Hundertwasser, Der große Weg“ kann an alle Teilnehmer*innen ausgeteilt werden.)*

I

Jemand, der sich auf das Häuserbauen besonders verstand, war der Künstler Friedensreich Hundertwasser. Er war ein sehr eigenwilliger Mensch. Er mochte keine geraden Linien. Er wollte in seine Häuser das

Leben einbinden: Bäume auf dem Dach, Gärten auf den Balkonen. Viele bunte Farben. Das Bild „Der große Weg“ zeigt eine Spirale aus abwechselnd roten und blauen „Spuren“. Es will uns sagen: Wir wohnen da, wo unsere Mitte ist. Da zieht es uns hin. Rot ist die Farbe des Menschen. Unser Weg geht zur Mitte hin. Als gläubiger Mensch darf ich die blaue Farbe als die Farbe Gottes sehen. Dann geht auch er mit auf unserem Weg. Wir nehmen uns etwas Zeit, dieses Bild zu meditieren.

Meditationsmusik

Singen Gott, der du warst und bist und bleibst (GL Limburg 847)

Bitten Wir bringen unsere Sorgen und Anliegen vor Gott:

- Gott, du Freund des Lebens, wir beten um Zeichen deiner Nähe für alle Suchenden und Zweifelnden.
- Gott, du Gast unserer Herzen, wir beten um Hilfe für alle Menschen, die ausgebeutet werden und denen Unrecht widerfährt.
- Gott, du Liebhaber der Schöpfung, wir bitten um deinen Segen für alle, die sich für das Leben und die Würde jedes Menschen einsetzen.
- Gott, du Nomade ohne festen Ort, wir beten für die vielen Menschen auf der Flucht überall in der Welt, und für jene, die sich an neuen Lebensorten auf ungewohnte Kulturen einstellen müssen.
- Gott, du bergendes Ziel allen Lebens, wir beten auch für die Verstorbenen aus unseren Familien, aus unseren Gemeinschaften und Freundeskreisen und für die vielen Toten, die wir nicht kennen.

Dir, Gott, vertrauen wir die Menschen und Geschöpfe an. Dich bitten wir um Schutz und Segen. Erweise dich als Liebhaber des Lebens, Dreifaltig-einer Gott.

Segnen *Gott, segne uns, sei du in unsrer Mitte (nach Psalm 67)*

Refrain

Gott, segne uns, sei du in unsrer Mitte,
ob wir nun stehen oder gehen oder ruhn.
Begleite uns auf jedem unsrer Schritte,
sei du das Ziel bei allem, was wir tun.

Zeig dein Gesicht, lass deine Augen leuchten,
und sei zu Gast in jedem Menschenhaus.
Und breite über alle deine Kinder,
auf dieser Erde deine Güte aus.

Zeig dein Gesicht, lass deine Augen leuchten,
auch wenn es Stückwerk bleibt, was wir verstehn,
lass uns das Feuer deiner Liebe ahnen,
und einen Schimmer deiner Schönheit sehn.

Zeig dein Gesicht, lass deine Augen leuchten,
wir, deine Menschen, wissen uns geliebt
von dir, der uns den Atem und das Leben
und allen Reichtum dieser Erde gibt.

Zeig dein Gesicht, lass deine Augen leuchten,
sei du die Sonne, wenn der Tag anbricht,
bleib auch bei uns am Mittag und am Abend,
und wenn es dunkelt, sei du unser Licht.

Helmut Schlegel © Dehm Verlag

Verabschieden Bevor wir auseinandergehen, möchte ich Ihnen eine rabbinische Geschichte vortragen, die uns von Martin Buber überliefert ist:

Rabbi M. war zu Gast bei gelehrten Männern. Er überraschte sie mit der Frage: „Wo wohnt Gott?“ – Sie lachten über ihn: „Was redet ihr! Ist doch die Welt seiner Herrlichkeit voll!“ Er aber beantwortete seine eigene Frage: „Gott wohnt, wo man ihn einlässt.“

Musik zum Nachklang

DER HIRTE ALS KÖNIG

CHRISTKÖNIG

Einstimmen Es mutet uns eigenartig an, dass wir in einer Zeit, da wir unsere Demokratie verteidigen müssen, einen König feiern. Es ist gut, daran zu erinnern, dass sich dieses Fest in der katholischen Kirche ausgerechnet in der Zeit des Nationalsozialismus zu einem wichtigen Widerstandssymbol entwickelt hat. Damals feierten junge Katholikinnen und Katholiken ihre Bekenntnistage und setzten damit ein sichtbares Zeichen gegen den Führerkult. Sie wollten zum Ausdruck bringen, dass kein Mensch absolute Macht beanspruchen kann. Es gibt nur einen Herrn und nur einen König. In schwerer Zeit hilft uns der Gedanke, dass die Geschichte letztlich in der Hand des auferstandenen Christus liegt. Das Kirchenjahr endet mit einer optimistischen Note: Das Schicksal in Händen Christi zu wissen, tröstet uns. Und dieser Glaube gibt uns die Kraft, alles daran zu setzen, dass die Rechte der Freiheit verteidigt werden.

Beten Gott, du Grund und Quelle unseres Lebens, in Jesus hast du uns dein Gesicht gezeigt. Du hast ihn uns geschenkt als Bruder und Hirten, der uns den Weg der gewaltlosen Liebe zeigt. Er wurde zur Mitte und zum Herz dieser Welt. Lass uns mit ihm eins werden in dieser Feier, zu der du uns geladen hast. So bitten wir dich durch ihn, der mit dir und dem Heiligen Geist lebt heute und in Ewigkeit.

Hören Mt 25,31–46

Vertiefen

Es wäre doch zu schön, ein Foto von Jesus zu haben. Wie hat er ausgesehen? War er groß oder klein, blond oder dunkel? Welchen Ausdruck hatten seine Augen? Sein Gesicht? – Nein, wir haben kein Foto von ihm. Die ältesten Bilder von Jesus stammen aus dem 3. Jahrhundert. Sie finden sich in den Katakomben, jenen Kellergewölben in Rom, wo sich die Christinnen und Christen in der Verfolgungszeit versteckt hielten und wo sie auch ihre Toten begruben. Noch heute sind an den Wänden und auf den Fußböden der Katakomben bunte Glasscherben sichtbar. Sie leuchten auf, wenn Besucherinnen und Besucher mit Kerzen in den Händen in die Katakomben hinabsteigen. Man hat herausgefunden, dass diese Glasscherben von Trinkbechern stammen, die den Neugetauften geschenkt wurden. Auf die Glasbecher waren Jesusbilder gemalt. Die Täuflinge sollten sich daran erinnern: Dieser Jesus ist die lebendige Quelle, aus der wir trinken. Wenn eine Christin oder ein Christ starb und in einer der Katakomben beerdigt wurde, dann wurde die Scherbe mit dem Jesusbild an der Grabstelle in die Wand eingefügt.

Sonderbar: diese Jesusbilder in den Katakomben zeigen weder den Gekreuzigten noch den Auferstandenen. Sie zeigen einen jungen Hirten, der ein verletztes Schaf auf den Schultern trägt. Ich finde, das ist ein sehr schönes Bild. Es steht für das, was wir heute feiern: Christus, der König – ein Hirte mit einem Schaf. Welch ein Kontrastprogramm zu den Bildern, wie sie die Regenbogenpresse und Fernsehshows von unseren Regenten, Promis und Stars zeigen. Christus, der Hirte mit dem Schaf. Welch ein Kontrastprogramm zu den Machthabern, die sich mit Wahlfälschungen an der Macht halten und ihre Völker unterdrücken.

Christus, der Hirte, Christus, der Bruder. Ich spüre auch den Anspruch in diesem Bild: Dieser Jesus sagt mir: Sei du ein Kontrastprogramm. Sei ein Kontrastprogramm gegen die subtile Gewalt im Büro oder auf der Straße. Sei ein Kontrastprogramm gegen die Hassparolen, die Shitstorms, die Verleumdungen in den digitalen Netzen. Sei ein Kontrastprogramm gegen die soziale Kälte und Gleichgültigkeit.

Der König Jesus scheut sich nicht, sein Kontrastprogramm durchzuhalten bis ans Kreuz. Da ist er wieder: der Hirte Jesus, der das verletzte Schaf auf den Schultern trägt. Mit dem Schächer am Kreuz möchte ich sagen: „Jesus, denk an mich. Jesus, denk an uns!“

Beten für ungekrönte Häupter

Jesus, du setzt jenen eine Krone auf und preist sie selig, die sich deinem Weg angeschlossen haben und nach dem Evangelium leben. Sie ehren wir, für sie bitten wir.

- Du sagst: Selig, die arm sind vor Gott; denn ihnen gehört das Himmelreich. (Mt 5,3)
  Die Krone göttlicher Würde verdienen die vielen Armen, denen die Welt die Mittel versagt, um ein menschenwürdiges Leben zu führen. Ihr Leben legen wir dir heute besonders ans Herz.
- Du sagst: Selig die Trauernden; denn sie werden getröstet werden. (Mt 5,4)
  Die Krone göttlicher Würde verdienen die vielen, die liebe Menschen verloren haben und darüber unendlich traurig sind. Ihr Leben legen wir dir heute besonders ans Herz.
- Du sagst: Selig die Sanftmütigen; denn sie werden das Land erben. (Mt 5,5)
  Die Krone göttlicher Würde verdienen die Menschen, die im Stillen gut sind und oft unerkannt das tun, was anderen hilft. Ihr Leben legen wir dir heute besonders ans Herz.
- Du sagst: Selig, die hungern und dürsten nach der Gerechtigkeit; denn sie werden gesättigt werden. (Mt 5,6)
  Die Krone göttlicher Würde verdienen die Menschen, die sich einsetzen für eine gerechte Verteilung der Güter, und jene, die im alltäglichen Leben Stellung beziehen gegen die kleinen und großen Ungerechtigkeiten. Ihr Leben legen wir dir heute besonders ans Herz.
- Du sagst: Selig die Barmherzigen; denn sie werden Erbarmen finden. (Mt 5,7)
  Die Krone göttlicher Würde verdienen die Menschen, die nicht nachtragen, sondern Wege der Versöhnung gehen. Ihr Leben legen wir dir heute besonders ans Herz.

- Du sagst: Selig, die rein sind im Herzen; denn sie werden Gott schauen. (Mt 5,8)
  Die Krone göttlicher Würde verdienen die Menschen, die in ihrem Denken und Reden eindeutig sind. Ihnen können wir vertrauen und angstfrei begegnen. Ihr Leben legen wir dir heute besonders ans Herz.
- Du sagst: Selig, die Frieden stiften; denn sie werden Kinder Gottes genannt werden. (Mt, 5,9)
  Die Krone göttlicher Würde verdienen Menschen, die nach Wegen des Friedens suchen: in den Familien, den Nachbarschaften, den Unternehmen, im gesellschaftlichen Miteinander oder in der Verständigung der Kulturen. Ihr Leben legen wir dir heute besonders ans Herz.
- Du sagst: Selig, die verfolgt werden um der Gerechtigkeit willen; denn ihnen gehört das Himmelreich. Selig seid ihr, wenn man euch schmäht und verfolgt und alles Böse über euch redet um meinetwillen. (Mt 5,10f.)
  Die Krone göttlicher Würde verdienen Menschen, die für das Recht und die Wahrheit Hass, Gewalt und Verfolgung auf sich nehmen. Sie legen Zeugnis ab, dass deine Liebe Bestand hat. Ihr Leben legen wir dir heute besonders ans Herz.

Du sagst: Freut euch und jubelt: Denn euer Lohn wird groß sein im Himmel. Dankbar sind wir, dass du Herr über Erde und Weltall bist. Wir preisen dich in der Einheit mit dem Vater und dem Heiligen Geist jetzt und in Ewigkeit.

Bereiten

Gott, nimm Brot und Wein an
als Zeichen des Lebens und der Hoffnung.
So schenke nun diesen Gaben Segen,
dass sie in der Liebe Jesu,
der sich dir und der Welt hingegeben hat,
zu seinem Leib und seinem Blut werden.
Darum bitten wir durch ihn, Christus, unseren Herrn.

Danken

Du unser Gott, wir danken dir für deine Nähe,
in der wir dem Wort deines Sohnes begegnet sind
und seinen Leib empfangen haben.
Geh mit uns Wege des Lebens,
bis wir das Reich deines Sohnes erfahren,
der uns dort erwartet für die Ewigkeit.

Segnen

Segen ist Hoffnung,
darum segne uns Gott mit einer Hoffnung,
die stärker ist als alle Mutlosigkeit.
Segen ist Freude,
darum segne uns Gott mit einer Freude,
die stärker ist als aller Ärger.
Segen ist Stärke,
darum segne uns Gott mit einer Kraft,
die keiner Gewalt bedarf.
So segne uns der Gott des Lebens,
der Vater und der Sohn und der Heilige Geist.

BESONDERE ORTE,
BESONDERE ZEITEN,
BESONDERE ANLIEGEN

WEIZENKORN UND ACKERBODEN

FLURGOTTESDIENST

Musik zu Beginn

Einstimmen

*Leiter*in* Einen herzlichen Gruß an Sie alle. Schön, dass Sie hier sind, schön, dass das Wetter hält. Wir feiern diesen Gottesdienst im Freien und haben darum als Überschrift gewählt: Weizenkorn und Ackerboden. Es gibt ein schönes kleines Buch, geschrieben vom Karmelitenpater Reinhard Körner, es heißt: „Jesus für Kleinbauern". Da erinnert er daran, dass Jesus die meiste Zeit unter freiem Himmel gelebt hat – zusammen mit Fischern und Kleinbauern. Darum verwundert es uns nicht, dass seine Erzählungen immer wieder um Fische und Körner, Weizenfelder und Weinberge kreisen. Die Weizenkörner haben es ihm besonders angetan. Kein Wunder: In jedem dieser kleinen Körner steckt Leben. Man hat in den Pyramiden Weizenkörner gefunden, die nach mehreren Jahrtausenden noch keimfähig sind.

Beten GL 6,1

Singen Du bist da, wo Menschen leben (Cantate II,328)

Austauschen Hier sind wir an einem schönen Fleckchen in der Gemarkung unseres Dorfes (unserer Stadt). Sie kennen alles, was um Sie herum ist. Und dennoch gibt es immer wieder Neues zu entdecken. Ich lade Sie ein, einige Minuten ganz still zu sein und zu schauen. Drehen Sie sich ruhig dazu um. Schauen Sie in den Himmel, auf die Erde, in die Nähe und in die Ferne. – Wenn Sie wollen, tauschen Sie sich einfach mit Ihrer Nachbarin/Ihrem Nachbarn aus: Was habe ich gesehen?

Hören Mt 13,1–9

Vertiefen

*Leiter*in* Ich glaube nicht, dass Jesus einteilt in Gute und Böse. Ich glaube nicht, dass er die einen gläubig und die anderen ungläubig nennt. Ich glaube nicht, dass er Unterschiede macht nach Hautfarbe, Sprache, Nation, Konfession und Religion. Ich glaube auch nicht, dass es mir zusteht, Urteile zu fällen. Weder über den Charakter anderer Menschen noch über meinen eigenen Charakter. Ich glaube nicht, dass Grenzen und Elektrozäune, Mauern und Schlagbäume einen wirklichen Sinn machen. Sie sind höchstens Notbehelfe. Am wenigsten Sinn machen die Grenzen und Mauern in unseren Köpfen.
Ich glaube, wenn wir vom Reich Gottes sprechen, dann ist der erste Schritt, die Urteile, Standesunterschiede, Konfessionsgrenzen und sonstigen Mauern zu überwinden.

Meditationsmusik

I Kann es sein, dass Jesus mit den verschiedenen Bodensorten nicht verschiedene Menschen meint, sondern die sehr unterschiedlichen Qualitäten meines Denkens, Fühlens und Tuns? Diese verschiedenen Bodensorten sind wohl alle in mir. In meiner Seele. In meinem Herzen. Ich vermute, ich soll dieses Gleichnis als Spiegel verstehen, der mir vorgehalten wird.

II Du Mensch, in dir gibt es einen Bereich, da bist du wie harter Asphalt. Da wächst kein Kraut. Vielleicht bist du an dieser Stelle einmal sehr verletzt worden. Und dann hast du zugemacht. Du hast diese Stelle für immer versiegelt. Es täte dir sonst so schrecklich weh. Selbst wenn dich da jemand nur leicht berührte: Es täte weh.

III Es gibt Bereiche in dir, da zeigst du deine Stacheln. Du hast die Erfahrung gemacht: Wer sich alles gefallen lässt, wird ausgenutzt und ist verloren. Du denkst: Ich muss mich wehren. Mich abgrenzen. Hin und wieder auch auf den Tisch schlagen. Du weißt: Manche erschrecken, wenn sie diese Seite von dir kennenlernen. Du kannst auch mal scharf sein. Unbarmherzig. Aber deine Dornen haben dir schon oft genützt. Sie haben dich vor vielem bewahrt. Und die anderen sollen ruhig wissen, dass du diese Seite auch hast.

I Es gibt Bereiche in dir, da ist viel Leben. Die Menschen fühlen sich wohl bei dir, wenn du diese Seite zeigst. Es gibt Tage, da sieht es so aus, als gäbe es nur diese Seite an dir. Die Arbeit geht dir von der Hand und alles ist viel leichter als sonst. Du lachst, bist zugänglich, hast Ideen, führst weiter. Du bist weich wie ein guter Boden nach einem Sommerregen. Du bist offen und aufnahmebereit.

Meditationsmusik

II Fast hätten wir es vergessen. Die Geschichte, die der Evangelist Matthäus erzählt, ist ja nicht zuerst die Geschichte einer Bodenprobe. Es ist zuerst die Geschichte des Weizenkornes. Das Weizenkorn hat einen Namen: Jesus von Nazaret. Er sagt von sich: „Amen, amen, ich sage euch: Wenn das Weizenkorn nicht in die Erde fällt und stirbt, bleibt es allein; wenn es aber stirbt, bringt es reiche Frucht.“ (Joh 12,24) Er sagt von sich: Ich gebe mein Leben hin für euch. Die Geschichte lädt uns ein, dieses kleine Korn in uns aufzunehmen, es zu bergen, wachsen zu lassen. Vielleicht hat es sogar die Kraft, mein Dornengestrüpp zu sprengen. Meinen Asphalt aufzubrechen. Reiche Frucht zu bringen. Dreißigfach, sechzigfach, hundertfach.

Singen Wenn einer alleine träumt, ist es nur ein Traum (Ein Segen sein, Junges Gotteslob, Nr. 668)

Bekennen

I Gott, ich wage es,
dich als den Schöpfer der Welt zu bekennen.
Und auch als meinen Schöpfer:
In meine Seele hast du das ganze Universum hineingelegt:
das Feuer der Sonne,
die Frische des Wassers,
die Kraft der Erde,
die Leichtigkeit des Windes,
Wunderbar hast du mich gemacht,
ich danke dir.

Ruf Magnificat (GL 390)

Gott, ich wage es,
Jesus Christus zu bekennen.
Er selbst wurde zum Weizenkorn,
zum göttlichen Hoffnungszeichen der Welt.
Er lehrte uns Geschöpfe
zu wachsen und Frucht zu bringen.
Brot dürfen wir werden, uns verschenken in Liebe.
Wie das Weizenkorn gab er sich hin und starb.
Du aber hast ihn aus dem Grab geweckt,
um neues Leben zu gebären.
Ich danke dir.

Ruf Magnificat

Gott, ich wage es,
die heilige Geistkraft zu bekennen.
Ihr göttlicher Hauch atmet in mir.
Ihr Locken weckt mich zu keimen,
ihre Kraft lässt mich zur Frucht werden,
dreißigfach, sechzigfach, hundertfach.
Ihre beste Gabe aber ist die Liebe,
Wo die Liebe ist, da bist du, Gott
Ich danke dir.

Ruf Magnificat

Gott, ich wage es,
den Himmel zu bekennen.
So wie alles Sein dieser Welt
bin auch ich vergänglich.
Meine Gestalt wird vergehen,
und doch geht kein einziges Korn verloren.
Neues Sein wird uns geschenkt in dir,
der du unendliches Leben bist.
Ich danke dir.

Ruf Magnificat

Beten mit dem Leib

I Ich lade alle ein, mit dem Leib zu beten. Wenn wir hier in freier Natur Gottesdienst feiern, wird uns bewusst, dass wir zu dieser Erde gehören. Wir sind ein Teil von ihr. Ich lade ein, aufzustehen und einfach mit unseren Sinnen Kontakt zur Schöpfung aufzunehmen.

Wo ich stehe, ist nur ein winziger Teil der Erde. Und doch: In diesem Teil leben Milliarden Lebewesen. Mit meinem Atem nehme ich Kontakt auf zur Erde: Ich lebe von ihr, ich lebe mit ihr, ich bete für sie, dass sie gesund bleibt. Ich bete für die Pflanzen, die Tiere, die Menschen. Geschenkt und anvertraut ist uns diese Erde, um sie zu hüten und zu bebauen.

II Neben mir sitzen Menschen, die meine Mitmenschen sind. Manche kenne ich, andere sind mir fremd. Ich kann meine Blicke einige Momente nach links und rechts wandern lassen. Vieles ist möglich: ein stiller Gruß, ein Kopfnicken, ein Wahrnehmen, ein Lächeln. Ich spüre: Das tut gut. Ich bin nicht allein.

Ich bete für alle, die heute hier sind, für alle, die wir in Gedanken und Gefühlen mitgebracht haben. Für alle, denen wir in dieser Woche begegnet sind. Und auch für die Millionen Menschen, die uns fremd sind und fremd bleiben werden.

I Über mir ist der Himmel: Luft, Wind, Wolken, Atmosphäre, Universum, unendlicher Raum. Ich lenke meine Blicke einige Augenblicke zum Himmel. Mit jedem Atemzug atme ich die Kraft des Himmels ein. Ich bete für die Menschen, die an den Flughäfen zu fernen Zielen aufbrechen. Ich bete für die Lebewesen in der Luft: die Vögel, die Schmetterlinge, die Bienen und Hummeln, die Insekten, die bedroht sind. Ich bete zu Gott, der gewiss nicht irgendwo im Universum sitzt, sondern viel näher ist. Hier unter uns, hier in uns.

II In mir, in meinem Körper, in meiner Seele pulsiert das Leben. Ich hüte es wie einen Schatz. Ich lege meine Hände ein paar Augenblicke auf mein Herz, spüre es klopfen, spüre meine Mitte. Ich werde still und höre ins Schweigen. In mir ist Gottes Geist. Er schlägt in meinem Herzen, er fließt in meinen Adern. – Du bist meine Mitte, Gott, Lebendiger, Ewiger.

Vaterunser

Segnen Zum Segen werde uns all das Schöne, das unser Auge wahrnehmen und im Laufe eines einzigen Tages erblicken kann.
Zum Segen werde uns die frische Luft, die wir einatmen, und der belebende Duft, der durch unsere Nase dringt.
Zum Segen mögen die vielen guten Gaben der Schöpfung werden, die wir verkosten können mit unserem Mund und dem zarten Geschmack unserer Seele.
Zum Segen mögen uns all die Wunder unseres Schöpfers werden, die er zur Freude unserer Sinne erfunden und uns geschenkt hat.

Singen Das Blau des Himmels – nach Psalm 93 *(Zu singen nach GL 325, Bleibe bei uns)*

Das Blau des Himmels, Gott, ist dein Gewand,
die Morgenröte deines Kleides Saum;
du stellst die Berge auf mit starker Hand,
den Wasserfluten gibst du weiten Raum.

Zu groß für mich, was du geschaffen hast:
der Himmel, die Planeten ungezählt –
doch größer noch, dass ich bei dir als Gast
zur Ruh mich legen darf in deinem Zelt.

Du wohnst ja nicht im fernen Himmelsaal,
du wohnst in unsrer Stadt, ganz menschennah;
an diesem Ort bist du und überall,
Du Gott mit uns, Dein Name: ich-bin-da.

Den Segensbecher hast du reich gefüllt,
behütest uns auch heute vor Gefahr.
Du Gott, der unsre tiefe Sehnsucht stillt,
geh mit auf unsren Wegen Jahr um Jahr.

VON UNSEREN KINDERN GELIEHEN

SCHÖPFUNGSFEST IN DER NATUR

Vorbereiten

- An einem geeigneten Ort im Freien (Spielplatz, Park, Wiese, Waldrand) sind Strohballen oder Bänke im Halbkreis gestellt.
- Ein Tisch oder ein großer Strohballen bildet den Altar.
- Auf bzw. vor dem Altar befinden sich ein aufblasbarer Ballon „Weltkugel" sowie verschiedene Pflanzen in Töpfen, eine Schale mit Erde, Weizenkörner, eine Gießkanne, Halme, Ähren und ein Stück Brot.
- Streichholzschachtel mit ein paar Weizenkörnern
- Topf mit Erde, Gießkanne, Weizenkörner, (unreife) Weizenhalme, Brot

Vor den Altar ist ein großes Plakat aufgestellt mit dem Text:

Wir haben die Erde nicht von unseren Eltern geerbt,
wir haben sie von unseren Kindern geliehen.

Lakota-Indianer

Die Lieder werden mit dem Akkordeon oder von einigen Bläsern begleitet.

Einstimmen

*Leiter*in* Eigentlich ist es Ehrensache, Geliehenes besonders pfleglich zu behandeln. Eine Anstandsregel, die auch für uns Menschen im Umgang mit Mutter Erde gelten sollte. Ja, sie ist uns geliehen. Der Spruch, der auf dem Plakat vor dem Altar steht, ist von den Lakota-Indianern überliefert. Sie gehören zur Gruppe der Sioux in Nordamerika. Das Leben der Lakota in den Großen Ebenen war arm und hart. Sie waren der Natur fast schutzlos ausgeliefert. Aber sie hatten eine hochstehende Kultur. Zum einen war der gegenseitige

Umgang von Achtung und Ehrfurcht geprägt, zum anderen betrachteten sie die Natur als eine Leihgabe Gottes. Und diese Leihgabe ist nicht zum rücksichtslosen Gebrauch bestimmt, sondern dafür, dass wir sie für unsere Kinder schützen und aufbewahren. Diesen Spruch haben wir als Motto für diesen Gottesdienst hier in freier Natur ausgewählt.

I Die schönste Geschichte der Welt passt in eine Streichholzschachtel.

(wird gezeigt)

Nun sind Sie neugierig, was hier drin ist. Und Sie können es leider gar nicht alle sehen. Die schönste Geschichte der Welt ist winzig klein. Hier ist ein Weizenkorn. Die schönste Geschichte der Welt heißt: Leben.

II Es ist noch gar nicht so lange her, dass das Leben auf diese Erde gekommen ist. Davor war unser Planet ein feuriger Ball, der langsam abkühlte. Aber es wuchs nichts darauf und es gab kein Leben. Dass es heute Leben gibt, verdanken wir vor allem der Atmosphäre. Um den Erdball hat sich im Lauf von Millionen Jahren eine unsichtbare Hülle aus Gasen gebildet. Es gibt nur sehr wenige Planeten mit einer Atmosphäre. Ohne sie ist Leben nicht möglich.

I Es gibt auch nur wenige Planeten, auf denen Wasser vorkommt. Wie und woher Wasser auf die Erde kam, wissen wir bis heute nicht genau. Es nimmt einen großen Teil der Erdoberfläche ein, ungefähr 70 %. Wasser und Luft sind die Grundlagen des Lebens. Auch dieses Weizenkorn verdankt seine Existenz dem Wasser und der Luft.

II Sie können selbst den Versuch machen. Wenn Sie ein Weizenkorn in feuchte Erde stecken, wird es anfangen zu keinem. Und es hat sogar einen Orientierungssinn, denn der kleine Keimling strebt schnurstracks der Sonne und der Luft entgegen und kommt aus der Erde heraus.

I Wir sind auch Leben. Wir brauchen auch Wasser und Luft. Vermutlich haben Sie heute schon Wasser getrunken. Und frische Luft, Sauerstoff, holen wir mit jedem Atemzug.

II Ich lade Sie zu einer kleinen Atemübung ein.
Am besten, wir schließen dabei die Augen, dann können wir uns besser auf dem Atem konzentrieren. Wir spüren, wie der Atem geht: Einatmen und ausatmen. Dazwischen ist eine kleine Pause. Beim Einatmen lassen wir den Atem ganz tief in uns hinein und spüren, wie gut das tut. Und beim Ausatmen können wir mit der verbrauchten Luft alles loslassen, was uns belastet. Vielleicht auch den Ärger und die Sorgen. Lassen Sie sich eine Minute Zeit und beobachten Sie Ihren Atem.

Atmen und beten

Beten ist auch eine Form von Atmen. In der Sprache der Bibel ist atmen und beten dasselbe Wort. Manchmal finde ich im Gebet keine Worte, ich bin einfach stumm. Dann genügt es, wenn ich mit meinem Atem Gott lobe oder bitte.
Ich kann mir zum Beispiel im Einatem das Wort „Jesus" vorstellen und im Ausatmen das Wort „Christus". Ich lade Sie ein, das in einer stillen Minute zu tun.

Stille

Bruder Jesus, du bist da, mitten unter uns.
Wir sind in deinem Namen zusammen.
Wir richten uns aus
auf deinen Namen,
sprechen dich an mit dem Atem,

der unsere Stimme erklingen lässt:
Jesus Christus.
In deinem Namen sind wir zusammen,
eine Gemeinschaft, mit dir und miteinander.
Du bist mitten unter uns:
Jesus Christus.

Die Geschichte vom Weizenkorn

Wir haben zusammen mit einigen Kindern die Geschichte vom Weizenkorn vorbereitet und möchten sie jetzt vortragen.

Eines Tages, als die Erde schon so aussah wie hier auf unserem Ball, da fand jemand ein klitzekleines Korn in einer Höhle und wusste nicht, was damit tun. Er steckte es einfach in einen Topf, in dem Erde war. Guter, schwarzer Boden.

Ein Kind zeigt den Topf mit Erde, ein anderes steckt Weizenkörner hinein.

Der Mann vergaß das Korn schon wieder und es begann zu regnen. Wasser rieselte in den Topf, alles wurde feucht.

Ein Kind gibt mit der Gießkanne Wasser in die Erde.

Da wachte das Weizenkorn aus einem langen Schlaf auf. Hallo, dachte es, ich lebe ja. Und es füllte sich mit Wasser und wurde ganz dick. Es war ganz dunkel unter der Erde und das Weizenkorn wollte ans Licht. Es schickte einen kleinen Keim, der bohrte sich durch die Erde, bis er mit seiner Spitze ans Licht kam. Da ist ja die Welt, dachte das Weizenkorn. Und jetzt werde ich groß werden. Der Keim wurde grün und streckte sich langsam in die Höhe.

Ein Kind zeigt einen grünen Halm.

Jeden Tag wuchs der Keim ein paar Millimeter weiter und wurde ein Halm. Und schließlich bildete sich an der Spitze des Halms eine Ähre.

Ein Kind zeigt einen Halm mit einer grünen Ähre.

Es ging noch ein paar Wochen, die Ähre nahm eine andere Farbe an. Sie wurde gelb, goldgelb. An der Ähre wuchsen auf einmal viele kleine Körner, sie hatten eine Schale, die wurde hart und schützte das Innere der Körner vor Gefahr.

Nun kam der Mann wieder. Er schnitt die Ähre. Und noch eine und noch eine. Er merkte, dass man aus den Körnern Mehl machen konnte. Und aus dem Mehl einen Teig. Und dass aus dem Teig im Ofen Brot wird. Ein gutes, schmackhaftes Brot.

Ein Kind zeigt ein Stück Brot.

Diese Geschichte haben wir nicht erfunden. Sie steht in der Bibel. Jesus selbst hat sie erzählt. Er hat sie zwar ein wenig anders und kürzer als wir erzählt. Wir finden sie im 4. Kapitel des Markusevangeliums. Dort steht:

Hören Mk 4,26–29

Vertiefen

I Was aus einem kleinen Korn werden kann! Es ist ein Wunder. Das kleine Samenkorn ist ein Wunder. Und die große Erde ist ein Wunder. Gott hat uns die Erde anvertraut. Ob es ihr gut geht oder nicht, liegt in unserer Hand. Wir können sie schützen und bewahren. Wir können sie auch rücksichtslos ausnutzen und kaputt machen. Leider tun wir das. Unserer Erde geht es nicht gut.

II Ich fahre gerne Auto. Ich weiß aber auch, dass das Gas, das hinten beim Auspuff rauskommt, der Erde schadet. Es steigt auf und schädigt die Atmosphäre. Das Klima wird immer wärmer. Die Eisberge schmelzen ab. Viele Tiere sterben schon jetzt. Ich hoffe, dass die Autoindustrie schnell neue Modelle entwickelt, die weniger Schadstoffe ausstoßen.

I Aber wir dürfen es nicht allein den Autobauern und der Industrie überlassen. Ich selbst kann ja auch etwas tun für bessere Luft. Zu Fuß gehen oder Fahrradfahren zum Beispiel. Weniger fliegen und Urlaub im eigenen Land machen. Den Wald nicht verdrecken, denn die Bäume geben uns viel Sauerstoff.

II Wir haben gutes Brot und vieles, was uns gut schmeckt. Ist es nicht schlimm, dass Menschen Essen wegwerfen – das Brot in die Tonne, halb gegessene Lebensmittel in den Müll? Gerade mit Lebensmitteln gehen wir oft sehr verschwenderisch um. Wir tun so, als wäre die Erde ein unerschöpfliches Warenlager, wo wir einfach holen können, was wir wollen. Dabei gehen die Rohstoffe irgendwann zu Ende.

I Wenn ich daran denke, dass Millionen Kinder und Erwachsene in anderen Ländern nicht einmal eine Schale Reis am Tag haben, dann kann ich kein Essen mehr wegwerfen. Es gibt nur eine Erde und sie ist für alle da. Alle Menschen haben das Recht, gut ernährt zu werden.

II *holt den Ballon „Erdball“ und zeigt ihn …*

Die Welt liegt in unseren Händen, aber sie ist uns geliehen. Sie ist kein aufblasbarer Ballon, den wir durch die Gegend werfen können. Sie ist zerbrechlich. Spätere Generationen werden einmal fragen, was wir mit ihr gemacht haben. Auch in hundert Jahren und später soll die Erde noch schön sein und Menschen und Tiere ernähren.

I Wir können Gott für unsere Erde nur dankbar sein. Sie ist uns geliehen. Darum dürfen wir sie nicht beschädigen. Es gibt so viele Initiativen, die uns einladen mitzumachen bei der Erhaltung unserer Erde. Ich denke etwa an „Fridays for Future". Wir alle – Erwachsene, Jugendliche und Kinder – brauchen viele Ideen und viel Mut, um mit unserer Erde gut umzugehen. Beten wir im Vaterunser um Gottes Kraft.

Vaterunser

Segnen Gott, diese Erde ist unser Wohnort. Sie ist schön und voller Wunder.
Wir danken für die Blumen im Frühling, die Früchte im Sommer, das Getreide im Herbst und den Schnee im Winter. Du hast gesagt: Solange die Erde steht, soll nicht aufhören Saat und Erde, Frost und Hitze, Sommer und Winter, Tag und Nacht. Du gibst uns, was wir brauchen.
Hilf uns, mit deiner Erde gut umzugehen, dass wir sie erhalten, für uns und andere. Bewahre uns vor Gier und Egoismus und erhalte uns in der Freude an der Welt und an dir.
So segne uns, du: Vater, Sohn und Heiliger Geist.

Alle, die am Gottesdienst teilnehmen, erhalten einen kleinen Topf mit Blumenerde und einige Weizenkörner sowie ein Stück Brot.

*Leiter*in* Unser Gottesdienst soll nachklingen. Nehmen Sie einen kleinen Topf mit Erde und einige Weizenkörner mit. Versuchen Sie doch zu Hause, ob sie keimen und wachsen, und freuen Sie sich am Wunder Leben. – Und als kleine Wegzehrung erhalten Sie ein Stück Brot. Lassen Sie es sich schmecken!

GOTTES BUNTER REGENBOGEN

VERSÖHNUNGSFEIER IN DER NATUR

Vorbereiten
- eine große Schale,
- ein Krug Wasser,
- eine Fackel und ein Behälter dafür,
- Feuerzeug,
- bunte Bänder

Einstimmen

I Wie gut, dass es Feuer gibt. Früher war es eine Kunst, Feuer zu machen. Oft brauchte man stundenlang, um es mit Feuerstein und Zunder zu schlagen. Heute genügt ein Feuerzeug oder ein Streichholz – und schon haben wir Feuer.

Die Fackel wird angezündet und in einen Behälter gesteckt.

II Schon vor rund einer Million Jahre haben Menschen Feuer gemacht und genutzt. Man hat in einer Höhle in Südafrika verbrannte Knochen und Aschereste von Pflanzen gefunden – ein Hinweis darauf, dass Menschen gekocht und gebraten haben.

I Mit dem Feuer hat sich das Leben der Menschen so stark verändert wie unser Leben im 20. Jahrhundert durch die Digitalisierung. Sie konnten zum Beispiel ihre Mahlzeiten kochen oder in den Höhlen Wärme erzeugen. Das Feuer ist ein Geschenk für uns Menschen: Wir brauchen es zum Heizen, zum Kochen. Es gibt uns Licht, Wärme und Energie.

Aus dem Krug wird Wasser in die Schale gefüllt.

I Wie gut, dass wir auch Wasser haben. Schon am frühen Morgen waschen wir uns und putzen die Zähne. Und dann steht der Kaffee oder Tee auf unserem Frühstückstisch.

II Naturforscher haben herausgefunden, dass alles, was lebendig ist, Pflanzen, Tiere und auch wir Menschen, aus dem Wasser kommen. Nicht immer war Wasser auf der Erde. Diese war vor Milliarden Jahren ein glühender Feuerball, der dann abkühlte und zu einen steinernen Planeten erstarrte. Zum Glück kam wie durch ein Wunder das Wasser auf die Erde.

I Feuer und Wasser – beides ist gut und beides brauchen wir. Aber …

nimmt die Fackel und taucht sie in das Wasser

II Habt ihr das gehört? Was war das für ein Geräusch?

Den Kindern die Gelegenheit geben zu antworten.

Zschsch … Ein heftiges Zischen. Es sieht so aus, als wären Wasser und Feuer die größten Feinde. Die können sich absolut nicht leiden. Und wer ist Sieger?

Den Kindern die Gelegenheit geben zu antworten.

I Manchmal sagen wir von zwei Menschen, die sich nicht leiden können: Die sind wie Feuer und Wasser. Feinde eben. Und oft ist bei Menschen die Feindschaft noch viel schlimmer als zwischen Feuer und Wasser.

II Ich denke nicht nur an die großen Feindschaften und Kriege. Auch in den Ferien gibt es Streit. Unter Geschwistern und Nachbarn. Unter Kolleginnen und Kollegen. Manchmal streiten wir sogar mit uns selbst. Es ist gut, wenn wir zu Beginn des Gottesdienstes dafür um Vergebung bitten.

Um Vergebung bitten

*Leiter*in* Gott, wir sind oft wie Feuer und Wasser. Nicht, dass wir verschieden sind, ist das Problem. Dass wir uns gegenseitig ablehnen und bekämpfen, das schadet allen. Wir rufen zu dir:
Herr, erbarme dich …

Gott, wir sprechen jetzt zu dir. Wir können dir unser Herz zeigen, das manchmal voller Freude, manchmal auch voller Sorge ist. Manchmal voller Ärger und manchmal voller Glück. Wir rufen zu dir:
Christus, erbarme dich …

Gott, du baust Brücken, die uns verbinden, Brücken zu dir und zueinander. Wir glauben an deine Freundschaft mit uns und rufen zu dir:
Herr, erbarme dich …

Legende von der Versöhnung von Wasser und Feuer

Ganz bestimmt haben Sie/habt ihr schon einmal einen Regenbogen gesehen. Wenn es regnet und zugleich die Sonne scheint, dann sehen wir am Himmel einen großen Bogen mit vielen Farben. Wisst ihr, welche Farben im Regenbogen zu sehen sind?

Den Kindern die Gelegenheit geben zu antworten.

Die Naturforscher können uns genau sagen, was ein Regenbogen ist und wie er entsteht. Aber es gibt unendlich viele Legenden darüber. Eine möchten wir euch vortragen.

*Erzähler*in*

Als die Welt fertig war, gingen einige Engel zu Gott und beklagten sich: „Deine Schöpfung ist nicht vollkommen!“, sagten sie. „Es gibt Streit. Feuer und Wasser können sich nicht leiden und sind erbitterte Feinde. Wenn sie sich nur berühren, schreit das Wasser und das Feuer verschwindet. Nur Rauch und Zischgeräusche bleiben.

Gott seufzte tief und sagte: „Ich habe das Feuer geschaffen und ich habe das Wasser geschaffen und ich weiß, dass sie gut sind. Wenn sie doch versöhnt miteinander leben könnten.“ Gott dachte nach und sagte: „Ich sehe, dass auch viele Menschen wie Feuer und

Wasser sind. Sie hassen sich, streiten und freuen sich, wenn es dem anderen schlecht geht." Und er wandte sich an die Engel: „Ich schicke euch auf die Erde, um zwischen Wasser und Feuer und zwischen verfeindeten Menschen zu vermitteln."

Einige Engel hatten sofort eine Lösung: Friede kann nur sein, wenn alles seine Ordnung hat. Das Wasser gehört ins Meer und das Feuer in die Vulkane. Jedes Element an seinen Platz, dann ist Ruhe. So geschah es.

Doch schon bald hatte das Feuer Langeweile im Inneren des Berges. Es wütete und hob den Deckel des Vulkans. Und die flüssige Lava ergoss sich ins Meer. Da war es wieder, das Zischen und Rauchen.

Da meldeten sich andere Engel: „Wir müssen ihnen Arbeit geben. Wenn man weiß, was man zu tun hat, gibt es keinen Streit." Also lehrten sie die Menschen, den Herd und den Topf zu erfinden. Die Menschen sperrten das Feuer in den Herd und das Wasser in den Topf. Es war eine großartige Erfindung. Endlich konnten sie sich warme Speisen zubereiten.

Und doch gab es keinen Frieden zwischen Feuer und Wasser. Sie fühlten sich eingesperrt und schrien: „Wir wollen frei sein." Und die Engel meldeten Gott: „Wir haben es nicht geschafft, Wasser und Feuer zu versöhnen."

Da sagte Gott zu den Engeln: „Schaut euch die Sonne an. Ihr Feuer strahlt am Firmament und schenkte der Erde Wärme und Licht. Schaut euch auch das Meer an. Sein Wasser steigt auf zum Himmel und wird zu einer Wolke." Und die Engel sahen, wie sich Sonne und Wolken abwechselten. Und die Lebewesen auf der Erde hatten Licht und Schatten. Wenn die Erde trocken war, gab die Wolke von ihrem Wasser. Und es begann zu regnen, bis die Erde feucht und fruchtbar war.

Da sahen die Engel, wie Sonne und Wolken miteinander spielten und einen bunten Regenbogen an den Himmel malten. Und die Engel meldeten Gott, wie Wasser und Feuer am Himmel friedlich miteinander leben.

Gott sagte: „So kann es auch bei den Menschen sein. Sie sind verschieden, aber sie können sich gegenseitig achten. Und sie können miteinander Neues schaffen. Darum male ich mit dem Feuer der Sonne und dem Wasser der Wolke einen Bogen an den Himmel. Er soll allen Wesen der Erde ein Zeichen sein: So könnt auch ihr in Frieden und Eintracht miteinander leben."

Hören Gen 9,12–17 oder Joh 15,10–17

Bitten

Kinder bringen Bänder in verschiedenen Farben zum Altar.

Bringen wir unsere Bitten und Anliegen vor Gott.

- Ich bringe ein rotes Band. Es erinnert mich an die Kraft des Feuers, mit der Menschen in den Handwerksbetrieben und Fabriken arbeiten. Ich bitte darum, dass alle Menschen eine gute Arbeit finden und davon leben können.
- Ich bringe ein gelbes Band. Es erinnert mich an die Sonne. Jetzt in den Ferien freuen wir uns über jeden Sonnentag, an dem wir draußen spielen können. Ich möchte Gott danken und für alle bitten, die in Urlaub sind.
- Ich bringe ein grünes Band. Es erinnert mich an die Wiesen und Wälder. Ich möchte darum bitten, dass uns die Natur erhalten bleibt und wir sie als Geschenk Gottes achten und pflegen.
- Ich bringe ein blaues Band. Es erinnert mich an das Wasser. Es löscht meinen Durst und ich freue mich an einem kühlen Bad. Ich bete für die Millionen Menschen, die in Regionen der Erde leben, wo es zu wenig Wasser gibt.
- Ich bringe ein violettes Band. Es erinnert mich an Menschen, die einen lieben Verwandten oder Freund verloren haben. Ich bitte für alle, die trauern und ein schweres Leid tragen.

Bänder knüpfen

Auf einem Tisch liegen viele Bänder in verschiedenen Regenbogenfarben. Alle werden eingeladen, ein Band zu nehmen und einen Moment zu überlegen, was jede und jeder beitragen kann zur Versöhnung in Familie, Schule, an der Arbeitsstelle und im Straßenverkehr. Dann können alle miteinander ein großes Versöhnungsnetz knüpfen.

Meditative Musik

Segnen

Gott,
wir kommen alle von dir, du hast uns erschaffen.
Und doch sind wir so verschieden,
manchmal sind wir sogar verfeindet.
Dabei sind wir doch wie die Farben des Lichtes:
Jede Farbe ist anders, aber jede ist schön.
Und zusammen bilden sie den großen Regenbogen.
Gott, lass uns froh und dankbar sein,
dass du uns so und nicht anders geschaffen hast.
Nimm von uns die Angst und den Neid.
Erinnere uns immer wieder an den Regenbogen,
er ist eine Brücke zwischen dir und uns,
und hilf uns, Brücken zu bauen von Mensch zu Mensch.
Gib du uns deinen Segen dazu.

DOCH, DU BIST WÜRDIG!

MUTMACH-FEIER AM FRÜHEN MORGEN

Vorbereiten

- am Taufbrunnen: gefüllte Wasserkrüge um das leere Becken, Handtücher
- ein Platz in der Kirche für die stille Meditation mit Hockern oder Kissen.

*Die Gottesdienstteilnehmer*innen versammeln sich vor der Kirche im Kreis.*

Einstimmen

*Leiter*in*	Es ist außergewöhnlich, dass wir hier außerhalb der Kirche beginnen. Das tun wir in der Regel nur in der Osternacht. Zu dieser Feier am frühen Morgen, da die Dämmerung noch über der Stadt liegt, begrüßen wir euch sehr herzlich. Ja, wir wollen den frühen Morgen begrüßen und den Tag bewusst beginnen.
I	Bevor wir die Kirche betreten, gehen wir über eine Treppe. Diese Treppe hat genau xx Stufen. Die Zahl ist nicht wichtig, aber die Idee der Kirchentreppen heißt: Bevor du den Raum Gottes betrittst, ist es gut, die „Niedrigkeiten des Alltags“ zurückzulassen. Aber warum?
II	Herr, ich bin nicht würdig, dass ich eingehe unter dein Dach, aber sprich nur ein Wort, so wird meine Seele gesund!
I	Ist es wirklich das? Sind wir unwürdig, unter das Dach Gottes zu kommen und uns in seinem Haus aufzuhalten? Ist es die Furcht vor einem strengen Gott, die uns draußen sein lässt?

II Ich kenne Menschen, die eben deswegen keinen Fuß mehr über die Schwelle einer Kirche tun. Sie haben Angst. Sie fürchten sich vor einem Gott, der alles sieht und hört. Und der nur jene akzeptiert, die würdig sind.

I Seltsam. Unsere Kirche hat wie fast alle Kirchen, Glocken. Wenn sie läuten, dringt der Ton im Umkreis von mehreren Kilometern in jedes Haus. Glocken sind eine Einladung: Komm, du bist willkommen. Ganz gleich, wer du bist und was du glaubst. Glocken sind ein Zeichen, dass es gar keine Unwürdige gibt.

*Leiter*in* Zu dieser frühen Morgenstunde dürfen wir noch nicht die Glocken läuten. Wir fühlen uns dennoch eingeladen und gehen langsam die Stufen hinauf, um dann die Kirche zu betreten. Lassen wir uns Zeit dazu und spüren wir der Einladung nach. Wir versammeln uns dann um den Taufbrunnen.

STATION 1: NUR EIN WORT

Gebet Du Gott des Lebens,
öffne meine Augen, dass ich meine Würde erkenne.
Reinige mein Gesicht, dass ich vor Freude lachen kann.
Läutere mein Herz, dass das Böse in mir keinen Raum findet.
Lass meine Seele atmen, dass ich mich wertschätze.

Du Gott des Lebens,
lass mich deine Zärtlichkeit erfahren, dass ich mich des Lebens freuen darf.
Richte meine Blicke auf Christus, dass ich mit ihm auferstehe.
Sende mir deinen Heiligen Geist, dass ich mutig mein Haupt erhebe.
Denn ich bin würdig, in der Freiheit deiner Kinder zu leben.

Singen Wasser vom Himmel (Liederbücher)

*Leiter*in* Bezeichnen wir uns in Erinnerung an unsere Taufe mit dem Kreuz: Im Namen des Vaters und des Sohnes und des Heiligen Geistes.

Hören Lk 7,1–10 (frei erzählt)

I Im Lukasevangelium steht die Geschichte vom Hauptmann aus Kafarnaum, die wir heute frei erzählen.

II Jesus ging in die Stadt Kafarnaum hinein. Da war ein römischer Hauptmann, der einen Diener hatte, den er sehr schätzte. Der Diener aber war sterbenskrank. Als der Hauptmann hörte, dass Jesus in der Stadt sei, schickte er einige von den jüdischen Ältesten zu ihm und ließ ihn bitten, zu kommen und seinen Diener zu heilen. Sein Glaube an die Heilkraft des Rabbi aus Nazaret war sehr groß. Die Ältesten gingen zu Jesus und sagten zu ihm:

I „Rabbi, der Hauptmann schickt uns. Er bittet dich, zu ihm zu kommen und seinen Diener zu heilen. Und wir möchten dir sagen: Er verdient es, dass du seine Bitte erfüllst; denn er liebt unser Volk. Ja, er hat sogar unsere Synagoge gebaut."

II Da ging Jesus mit ihnen. Als er schon ganz nahe beim Haus des Hauptmanns war, kamen dessen Freunde zu ihm. Durch sie ließ der Hauptmann sagen:

I „Herr, bemüh dich nicht! Denn ich bin es nicht wert, dass du unter mein Dach einkehrst. Das ist auch der Grund, warum ich nicht selbst gekommen bin. Ich habe mich nicht für würdig gehalten, zu dir zu kommen. Aber sprich nur ein Wort, dann wird mein Diener gesund."

*Leiter*in* Als aufgeklärte Menschen des 21. Jahrhunderts rümpfen wir vielleicht die Nase über ein solch magisches Denken. Fernheilung durch Worte? Das könnte gut auf der Internetseite einer esoterischen Gruppe angepriesen werden. Da sind wir doch sehr skeptisch.

I Und doch – Worte können gesund machen. Es gibt wohl nicht das eine Zauberwort, das alle Krankheiten heilt. Aber es gibt Worte, die ein ganzes Leben verändern.

II Meine Oma hat mir erzählt, dass sie nach dem Krieg monatelang auf ihren Mann gewartet hat. Sie wusste nicht, wo er ist, nicht einmal, ob er noch lebt. Da kam eine Postkarte. Nur ein Satz stand drauf: Ich komme. Das hat die kranke Oma gesund gemacht.

I Manchmal haben auch ganz einfache Worte im Alltag heilende Kräfte. Ein offenes und ehrliches gesprochenes „Ja" zum Beispiel. Oder ein „Du kannst dich auf mich verlassen."

II Ist dieses Wort „Ja" nicht der Grund, warum wir hier sind? Gott hat ja gesagt – zu jeder und jedem von uns. Das „Ja" wurde uns in der Taufe zugesprochen. Du bist ein Kind Gottes. Geheilt und geheiligt.

*Die Teilnehmer*innen bekommen eine schön gestaltete Karte, auf der nur das Wort „Ja!" steht.*

Meditationsmusik

I Auf das Ja-Wort Gottes haben wir eine Ant-Wort. Wir sagen sie nach jedem Gebet und wir übersetzten das Wort meist mit „So soll es sein!" Aber das ist viel zu wenig. Amen heißt wörtlich übersetzt: Ich verlasse mich darauf. Ich mache mich fest an diesem Wort. Hören wir das Amen in dem bekannten Gospel.

Singen Gospel „Amen" – evtl. auch von einer CD

STATION 2: DIE WÜRDE DES MENSCHEN IST UNANTASTBAR.

Auf dem Boden sind Plakate ausgelegt.

Die Würde des Menschen ist unantastbar
Artikel 1 des Grundgesetzes

Was ist der Mensch, dass du seiner gedenkst,
des Menschen Kind, dass du dich seiner annimmst?
Du hast ihn nur wenig geringer gemacht als Gott,
du hast ihn gekrönt mit Pracht und Herrlichkeit.
Psalm 8,5 f.

*Leiter*in* Am 23. Mai 1949 wurde das Grundgesetz der Bundesrepublik Deutschland in Kraft gesetzt. Der erste Satz lautet: Die Würde des Menschen ist unantastbar. Es war wahrhaft ein Neuanfang, nachdem die Menschenwürde in der Nazizeit so sehr mit Füßen getreten worden war.

I Seit dieser Zeit leben wir in einem Staat, der diese Würde einigermaßen achtet. Doch auch bei uns gibt es täglich Menschenrechtsverletzungen: So werden täglich von Rechtsradikalen Geflüchtete aus Afrika oder Asien beschimpft. Und oft erleben wir auch in der Nähe – am Arbeitsplatz oder im Bus, wie Bürgerinnen und Bürger in ihrer Würde verletzt werden.

*Leiter*in* Es ist gut, uns an Jesus zu erinnern. Er hat sich gerade denen zugewandt, die in ihrer Ehre verletzt wurden oder die als Menschen ohne Würde galten. Besonders ihnen hat er ihre Würde zugesprochen.

I Wie oft sagt Jesus: „Steh auf und geh!“ Er heilt Menschen nicht nur von ihren körperlichen Leiden, er richtet sie in ihrer Würde auf. (Mt 9,13)

Singen Gospel „Amen“ – evtl. von einer CD

STATION 3: SPRICH DU DAS WORT, DAS TRÖSTET UND BEFREIT

Alle versammeln sich um die Osterkerze, die im Altarraum steht.

II Hören wir den zweiten Teil des heutigen Evangeliums:
Der Hauptmann ließ Jesus über seinen Freund sagen:

Hören Lk 7,6–10 *(mit verteilten Rollen lesen)*

Vertiefen/Meditieren

*Leiter*in* Sprich nur ein Wort. Sprich dein Wort, Gott.
Werde gesund, Mensch.
Glaube an deine Würde.
Steh auf und erhebe dich!
Du bist mein geliebtes Kind.

I Fürchte dich nicht, ich habe dich beim Namen gerufen. (Jes 43,2)

II Steh auf, nimm deine Liege und geh! (Joh 5,8)

I Dein Glaube hat dich gerettet. Geh in Frieden! (Lk 8,48)

II Amen, ich sage dir: Heute noch wirst du mit mir im Paradies sein. (Lk 23,43)

I Sprich nur ein Wort, so wird meine Seele gesund.

*Leiter*in* Heilsame Worte. Tief in unserem Herzen berühren sie uns.

Singen Sprich du das Wort, das tröstet (GL 422, 3)

Bereiten Gott, lass unser Gebet zu dir aufsteigen
und nimm unsere Gaben an.
Schenke uns deine Gnade,
die uns verwandelt.
Präge das Bild Jesu in uns ein,
damit wir immer mehr seine Gestalt annehmen
und seinem Weg folgen.
Darum bitten wir durch Christus,
unseren Freund und Bruder.

Zur Kommunionausteilung

Dass du eingehst unter mein Dach, darum bitte ich dich, Christus.
Dass du bei mir einkehrst und in meinem Herzen wohnst, das ist mein Verlangen.
Sprich nur ein Wort, sprich uns dein Wort zu, das uns Heil und Würde schenkt.
Mein ganzes Wesen dürstet nach dir.

Singen Da wohnt ein Sehnen tief in uns (GL Limburg 834)

Segen Gott, unser Urgrund, erfülle uns mit Segen.
Wir möchten leben – hier und jetzt.

Gott, unser Bruder, erfülle uns mit Liebe.
Wir möchten sie einander weitergeben – hier und jetzt.

Gott, unser Anwalt, erfülle uns mit göttliche Würde.
Wir möchten Mensch sein – hier und jetzt.

Das gebe uns der Vater und der Sohn und der Heilige Geist.

BRÜCKEN DER GERECHTIGKEIT

GELD UND ETHIK

Zu diesem Gottesdienst können auch Vertreter der örtlichen Geldinstitute eingeladen werden. In einem Frühschoppengespräch, das sich an den Gottesdienst anschließt, können Fragen der ethischen Geldanlagen praktisch erörtert werden.

Vor dem Altar oder dem Ambo ist ein Plakat mit der Rückseite eines 5-Euro-Scheins aufgehängt. Er zeigt eine Brücke.

Einstimmen Geld ist nicht zum Anschauen, sondern zum Ausgeben oder zum Anlegen da. Wenn ich mir dennoch die Mühe mache, die verschiedenen Euroscheine anzusehen, entdecke ich Folgendes: Jeder Schein trägt auf der Rückseite das Bild einer Brücke. Es sind Brücken verschiedener Epochen: aus dem Altertum, dem Mittelalter und der modernen Zeit, ja selbst eine futuristische Brücke fehlt nicht. Es ging den Gestaltern der Scheine wohl darum, der Vision Ausdruck zu geben, dass der Euro Brücken baut zwischen den Nationen Europas.

Wenn ich allerdings den Geldmarkt kritisch betrachte, dann stelle ich die Frage, ob Geld denn wirklich verbindet oder nicht viel mehr trennt: in Geldgeber und Geldnehmer, in Arm und Reich, in eine erste, zweite, dritte und sogar vierte Welt. Ich stelle die Frage, ob denn tatsächlich eine Brücke gebaut werden kann zwischen Geld und Ethik. Es ist eine wichtige Frage, die uns alle mehr oder weniger berührt. Geld anlegen, mit Geld sein Vermögen vermehren – passt das zur Ethik des Evangeliums? Gibt es Kriterien dafür? Gibt es praktikable Wege?

Beten

Guter Gott,
wir sind oft ruhelos und aufgeregt,
denn wir tragen so vieles in uns.
Im tiefsten Herzen tragen wir dich,
den Guten und Ewigen.
Wir tragen in uns die Quelle des Lebens
und die Sehnsucht nach Liebe und Gerechtigkeit.
So feiern wir die Gemeinschaft mit Jesus,
der uns ein treuer Zeuge deiner Gegenwart ist.
Der uns belebt und ermutigt, erlöst und befreit.
Ihn wollen wir hören, an ihn wollen wir uns halten,
ihm wollen wir vertrauen.

Hören

Lev 25,35–41

Dialog

I

Das sind Töne, die ich von der Bibel gar nicht kenne: „Nimm von ihm keinen Zins und Wucher!" (Lev 25,36a) Verbietet mir die Bibel, dass ich Zinsen für mein Geld nehme?

II

Ich glaube, es ist wichtig, den zweiten Teil des Satzes zu hören: „Fürchte deinen Gott und dein Bruder soll neben dir leben können." (Lev 25,36b) – Es geht um das Ziel: Jeder Mensch soll leben. Das Buch Levitikus schließt dabei ausdrücklich auch die Fremden ein. Das hat für uns heute in der globalen Welt eine wichtige Bedeutung.

I

Aber Geld war doch in der damaligen Zeit etwas ganz anderes als heute, wo wir es auf die Bank bringen und für uns arbeiten lassen.

II

Die Bibel betrachtet Geld als ein legales Zahlungsmittel, verlangt aber einen verantwortlichen Umgang damit. Oberstes Gebot ist das Existenzrecht aller.

I Das ist schon klar. Dafür machen wir uns ja auch hierzulande stark, etwa dafür, dass die Löhne gerecht sind. Aber das hat doch nichts damit zu tun, wieviel Geld ich auf meinem Konto habe und was ich damit mache.

II Das müssen wir schon differenzierter sehen. Nach der biblischen Ethik gibt es keinen absoluten Anspruch auf Eigentum. Weil Gott der Geber aller Güter ist, gehören sie allen gleichermaßen. So sollen nach der Thora im Jubeljahr, das ist jedes 50. Jahr, alle Schulden erlassen und die Besitzstände nivelliert werden.

I Da wir uns mehr auf das Zweite Testament berufen, sollten wir doch mal lesen, was Jesus zum Thema Geld sagt.

II Zunächst überrascht es, dass Jesus selbst offensichtlich ohne Murren Steuern bezahlt hat. Als er gefragt wird, ob es recht ist, dem Kaiser Steuern zu geben, antwortet er: „Gebt dem Kaiser, was dem Kaiser gehört, und Gott, was Gott gehört!“ (Mt 22,21)

I Das ist ein sehr vieldeutiges Wort. Aber damit sagt Jesus doch: Mein Geld und meine Finanzen sind rein weltliche Angelegenheiten. Und der Kaiser, der Staat, die Gesellschaft haben das Recht, die Bürgerinnen und Bürger zur Kasse zu bitten.

II Aber Jesus sagt auch: „Gebt Gott, was Gott gehört“. Damit meint er, dass es eben Werte gibt, die über die Werte des Kaisers und des Staates hinausgehen. Das sind beispielsweise die Werte Gerechtigkeit, Solidarität, Menschenwürde. Dafür tragen wir eine Verantwortung – auch mit unseren finanziellen Mitteln.

Hören Lk 4,16–21

Vertiefen

Auf dem Plakat hier vor dem Altar (vor dem Ambo) sehen Sie die Rückseite eines 5-Euro-Scheins. Abgebildet ist ein Aquädukt, das an den Pont du Gard – ein römisches Bauwerk in Südfrankreich – erinnert.

Eine Brücke geht von einen zum anderen Ufer. Sie hat ein Woher und ein Wohin. So ist es auch beim Geld: Wir wissen in der Regel, woher es kommt. Wir haben es verdient oder geerbt oder was immer. Wir wissen auch, wohin es geht. Wir haben einen Plan, wofür wir es ausgeben wollen. Dazwischen ist es unterwegs. Wir sagen: Unser Geld arbeitet. Aber das stimmt nicht: Nicht das Geld arbeitet, Menschen arbeiten mit unserem Geld und das kann sehr unterschiedlich sein.

Was wir nicht wollen, wissen wir: etwa, dass unser Geld eingesetzt wird in der Waffenproduktion, für fragwürdige Forschungsprojekte, in der Abholzung der Regenwälder, in der Herstellung bedenklicher Chemikalien. Oder auch, dass es in Unternehmen investiert wird, in denen menschenunwürdige Arbeitsbedingungen herrschen. Mit Geldanlage übernehmen wir also auch eine Verantwortung für die Welt, vor allem für ein würdiges Dasein aller Menschen und für die Bewahrung der Schöpfung.

Es gibt im Grund drei Kriterien. Das erste heißt: Welche Unternehmen und Länder arbeiten in sozialer Verantwortung mit unserem Geld? Da sind zum Beispiel Themen wie „gerechte Löhne", „menschenwürdige Arbeitsverhältnisse", „Schutz vor Unfällen" relevant.

Das zweite Kriterium: Wo und wie kann mit unserem Geld die Schöpfung bewahrt und stabilisiert werden? Werden neben den ökonomischen auch ökologische Maßstäbe gesetzt? Wie kann unser Geld für erneuerbare Energien oder die Sauberkeit der Meere eingesetzt werden?

Und das dritte: Sind Investitionen kulturverträglich? Alle Kulturen auf der Erde sind gleich wertvoll und müssen geschützt werden. Kultur muss als innerer Wert der Menschen erhalten werden.

Nach diesen drei Grundfragen wird heute ethisches Investment betrieben. Es gibt sogenannte Rating-Agenturen, die nach diesen Kriterien weltweit Unternehmen und Länder analysieren und beurteilen. Die Ergebnisse stehen zur Verfügung und erlauben es uns, ethisch verantwortbar zu investieren. Inzwischen gibt es nicht wenige Geldinstitute, die diese Kriterien anwenden. Jedenfalls dann, wenn es die Kundinnen und Kunden wollen. Die Nachfrage nach nachhaltigen und ethischen Anlagen wächst derzeit rasant – eine gute Entwicklung, meine ich.

Ich erinnere noch einmal an das Evangelium: Jesus hat am Anfang seines Wirkens in seiner Heimat Nazaret seine vordringliche Botschaft verkündet. Es geht ihm um die Befreiung des Menschen. Das Ziel dieser Befreiung ist nicht nur der Himmel, sondern auch ein gutes Leben auf der Erde. Die ganze Schöpfung soll erlöst werden. Dass Menschen in Gerechtigkeit zusammenleben, dass unsere Erde als Planet des Lebens erhalten wird, dass alle Kulturen in ihrer Unterschiedlichkeit gewürdigt werden, ist unsere Aufgabe heute.

Bitten Wir treten vor Gott und bitten ihn um Mut und Fantasie, mit unserem Geld Brücken zu bauen, die verbinden.

- ○ Auch in unserem alltäglichen Finanzverhalten brauchen wir Gottes Geist, damit wir unserer Verantwortung für Frieden und Gerechtigkeit gerecht werden. Darum bitten wir: Du Gott der Gerechtigkeit, höre unser Gebet.

A Du Gott der Gerechtigkeit, höre unser Gebet.

- ○ Wir beten für die Menschen in der Welt, die Opfer der globalen Geldwirtschaft werden. Manche leiden unter Umweltschäden, andere müssen ihre Kinder arbeiten lassen oder werden für ihre Produkte schlecht bezahlt. Darum bitten wir:
- ○ Wir beten für unsere Kirche in Deutschland, die auch bei rückläufigen Einnahmen relativ reich ist. Es darf nicht sein, dass ihre Geldanlagen im Widerspruch zur Ethik des Evangeliums stehen. Darum bitten wir:
- ○ Auch hierzulande sind Menschen in Sorge um ihren Arbeitsplatz. Andere sind durch Krankheit oder Alter ins soziale Abseits geraten. Ihre Anliegen bewegen uns. Darum bitten wir:
- ○ Nicht vergessen dürfen wir die Menschen, die vor uns gelebt haben und denen wir auch wirtschaftlich viel verdanken. Nicht vergessen dürfen wir die Menschen, die Opfer von Gewalt und Hunger wurden und werden. Darum bitten wir:

Du, Gott, hast uns die Erde mit all ihren Gütern anvertraut, dass wir sie bebauen und dass alle in Frieden und Gerechtigkeit leben können. Wir danken dir in Jesus Christus heute und alle Tage bis in Ewigkeit.

Segnen

Der mütterlich-väterliche Gott
sei uns nahe in allem was uns begegnet
auf dem Weg des Lebens.

Er umarme uns in Freude und Schmerz
und lasse aus beidem Gutes wachsen.

Ein offenes Herz schenke er uns für alle,
die unser bedürftig sind,
Selbstvertrauen und den Mut,
uns verwunden und heilen zu lassen.

In aller Gefährdung
bewahre er uns an Seele und Leib
und lasse unser Leben gelingen.
Das gebe der dreifaltige Gott,
der Vater und der Sohn und der Heilige Geist.

IN DER MITTE DER NACHT

ZUR MITTERNACHT ODER AM FRÜHEN MORGEN

Vorbereiten

- Im hinteren Teil der Kirche steht die Osterkerze oder eine Friedenskerze.
- In der Mitte des Raumes ein Kreis, in dem 10 Öllampen oder Kerzenlaternen stehen. Das Evangeliar bildet den Mittelpunkt.
- Vor oder auf dem Altar ist eine Christusikone mit einer Lampe aufgestellt.
- Die Kirche ist schwach beleuchtet.

Alle versammeln sich im hinteren Teil der Kirche.

Einstimmen Herzlich begrüßen wir Sie zu diesem Gottesdienst zu dieser ungewöhnlichen Zeit um Mitternacht (am frühen Morgen). Wir haben sie bewusst gewählt. Die Mitte der Nacht ist der Trennstrich zwischen Heute und Morgen. Der Zeitpunkt, da die Nacht am dunkelsten ist, aber auch der Zeitpunkt, der den Morgen ankündet. Von jetzt an geht es jede Sekunde mehr dem Morgen zu. Es ist die Zeit, in der wir uns – so sagt das Evangelium – auf eine besondere Begegnung mit Jesus einlassen und den Tag im Gebet beginnen dürfen. Wachsamkeit überwindet Schläfrigkeit und Müdigkeit. Was könnte ein besseres Zeichen für die Wachsamkeit sein als eine brennende Kerze? So zünden wir unsere Osterkerze (diese Friedenskerze) an und wissen Christus in unserer Mitte.

Singen Du Licht vom Lichte (GL 95) oder O Herr, wenn du kommst (GL 233)

Alle gehen zum Stuhlkreis und setzen sich. Die brennende Oster- oder Friedenskerze wird mitgenommen und dort in der Mitte aufgestellt. In einem Kreis stehen 10 Öllampen oder Laternen.

Hören Mt 25,1–6a

Vertiefen
*Drei Sprecher*innen holen sich je eine Lampe (Laterne). Der/die vierte Sprecher*in hat einen Docht, um die Lampen anzuzünden.*

I Haben wir noch Öl in den Lampen?
Das Licht des Glaubens – brennt es noch oder ist es erloschen?

kurze Stille

IV Du, Jesus, sagst uns: „Euer Herz erschrecke nicht! Glaubt an Gott und glaubt an mich!" Du ermutigst mich, das Feuer des Glaubens immer wieder neu zu entzünden.

Zündet die Lampe von Sprecherin I mit Licht von der Oster-/Friedenskerze an

II Haben wir noch Öl in den Lampen?
Der Brennstoff der Hoffnung – reicht er aus in bedrohten Zeiten?

kurze Stille

IV Du, Jesus, sagst uns: „Habt Vertrauen, ich bin es; fürchtet euch nicht!" Du ermutigst mich, das Haus der Sicherheit zu verlassen und dir zu folgen.

Zündet die Lampe von Sprecherin II mit Licht von der Oster-/Friedenskerze an

III Haben wir noch Öl in den Lampen?
Die Glut der Liebe – ist sie noch heiß unter der Asche der Gleichgültigkeit und Erschöpfung?

kurze Stille

IV Du, Jesus, sagst uns: „Bleibt in mir, dann bleibe ich in euch!" Du ermutigst mich, deine Freundschaft zu suchen und die Menschen mit deiner Kraft zu lieben.

Zündet die Lampe mit Licht von der Oster-/Friedenskerze an

Die Sprecherinnen stellen die drei entzündeten Lampen zurück in den Kreis der anderen.

*Leiter*in lädt die Teilnehmer*innen ein, sich jeweils zu zweit auszutauschen. Frage: Was bedeutet mir ein Licht in der Nacht?*

Hören Mt 25,7–10

Vertiefen

I Mir gefällt dieses Evangelium nicht: eine Zwei-Klassen-Geschichte. Die Klugen und die Törichten. Die Erfolgreichen und die Looser. Wie im richtigen Leben: Die einen haben alles, die anderen haben nichts. Ich finde, das ist einfach nur schwarz-weiß gemalt.

II „… dann reicht es weder für uns noch für euch …", sagen die Klugen. Seht ihr zu, wo ihr euer Öl herkriegt. Sind nicht wir diese Klugen? Wir wollen behalten, was wir erwirtschaftet haben. Die Energie, das Wasser, die billigen Lebensmittel, die Mobilität. Dabei wissen wir genau, dass hier die Ursachen für Armut und Flucht liegen.

III Ich weiß nicht, ob wir das Evangelium so nicht falsch interpretieren. Der Text steht bei Matthäus unmittelbar vor der Passion. Da geht es um den Ernst der Nachfolge im Glauben. „Ihr wisst weder den Tag noch die Stunde!", sagt Jesus. Nachfolge ist kein Spaziergang. Und darum wiederholt es der Evangelist wie ein Mantra: Seid wachsam!

I Aber ich verstehe nicht, warum Jesus ausgerechnet die Klugen lobt. Er war ja gerade nicht der Messias der Klugen und Gescheiten, er war der Messias der Sprachlosen und Verachteten. Warum dieses harte Urteil über die Frauen, die zu wenig Öl mitgenommen hatten? Sie waren einfach vergesslich. Das kann doch passieren.

III Vielleicht sollten wir überlegen, was das Öl bedeutet. Ich glaube, da geht es nicht nur um Brennstoff. Öl wurde im Altertum nicht nur in die Lampen gefüllt. Mit Öl wurden die Könige gesalbt. Und wer einen anderen Menschen besonders ehren wollte, salbte ihn mit Öl. Um den Toten den letzten Liebesdienst zu erweisen, wurden sie mit duftenden Ölen eingerieben. Ich denke, Öl steht hier für das Kostbarste, was wir alle haben.

II Was ist das? Was meinst du damit?

III Ich glaube, Jesus spricht von der Kraft der Liebe. Wir alle haben diese kostbare Ressource. Aber wir vergessen sie oft. Dann sind wir tatsächlich töricht.

I Das hört sich gut an. Das ist wie Balsam für die Seele. Aber Liebe duftet nicht immer gut. Liebe kann auch weh tun. Wenn ich an die Pflegerinnen und Pfleger in den Kliniken oder Pflegeheimen denke – da fordert die Liebe Verzicht und Opfer. Da muss man zupacken.

II Liebe ist Zupacken und Engagement. Aber Liebe braucht auch Stille, Gebet und Meditation. Das ist doch auch Wachsamkeit.

III Das wird uns mitten in der Nacht (so früh am Tag) vielleicht erst richtig bewusst. Den Tag wachsam und mit Gott anfangen, sich bewusst einlassen auf das, was der Tag bringt – das ist doch etwas sehr Kostbares.

Singen Wachet auf (GL 554,1–2)

Bitten

*Von verschiedenen Sprecher*innen werden Bitten vorgetragen. Zu jeder der sieben Bitten wird eine der restlichen sieben Öllampen entzündet.*

„Für uns und für euch wird es nicht reichen". So oder ähnlich wird immer wieder gesagt. Aber es stimmt nicht. Was Gott gibt, reicht für uns alle. Wir bitten ihn um den Mut zu teilen, damit auch jenen Menschen ein Licht leuchte, deren Leben bedroht ist vom Dunkel der Einsamkeit, der Armut und des Krieges. Gott der Gerechtigkeit, höre unser Gebet.

- Eine Lampe soll brennen für den sozialen Frieden in unsrer Stadt/unserem Dorf. Menschen verschiedenster Kulturen, Religionen und Nationen leben hier zusammen. Viele suchen schon lange nach bezahlbaren Wohnräumen, andere sind aus den sozialen Sicherungsnetzen herausgefallen. An uns allen liegt es, mit Verstand und Mut am Wohl dieser Stadt mitzuarbeiten. Darum bitten wir:

V/A Gott, schenke uns Licht und zeige uns den Weg.

- Eine Lampe soll brennen für die Religionsgemeinschaften in unserer Stadt. Mit Juden, Muslimen, Buddhisten, Hindus und anderen Gemeinschaften leben wir Christinnen und Christen zusammen und bemühen uns um gute Nachbarschaft. Wir alle bedürfen der geistlichen Erneuerung und der Bereitschaft, einander kennen zu lernen und zu achten. Darum bitten wir:
- Eine Lampe soll brennen für die Kinder und Jugendlichen dieser Erde. Für viele von ihnen ist die Zukunft ungewiss. Sie brauchen Nahrung und Bildung und zukunftsfähige Initiativen in der Politik. Sie brauchen auch Menschen, die ihnen Vorbilder sind und Mut machen zu einem hoffnungsvollen Leben. Darum bitten wir:

- Eine Lampe soll brennen für die Bemühungen um ein stabiles Gemeinwesen in unserem Land. Wir brauchen Verantwortliche, die nicht ihre Karriere, sondern das Wohl der Menschen im Auge haben und unser Land mit Weitsicht und Augenmaß regieren. Darum bitten wir:
- Eine Lampe soll brennen für alle, die uns nahestehen: für unsere Eltern, Kinder und Geschwister, für unsere Lebenspartner, für Freundinnen und Freunde. Unser Zusammenleben möge geprägt sein von Verständnis, Verzeihen und Güte. Darum bitten wir:
- Eine Lampe soll brennen für Menschen, die auf der Flucht sind. Manche flüchten vor Gewalt und Krieg, andere, weil sie keine Zukunft sehen, wieder andere, weil tragende Beziehungen zerbrochen sind. Sie brauchen Mut, Zuversicht und solidarische Hilfe. Darum bitten wir:
- Eine Lampe soll brennen für unsere Toten: für alle, um die wir trauern und auch für die vielen Unbekannten, die Opfer der Gewalt und der Naturkatastrophen geworden sind. Darum bitten wir:

Guter Gott, wachsam sein für die Ankunft Jesu, deines Sohnes und unseres Bruders, in dieser Welt und für deine Gegenwart heute, das ist unsere Berufung. Er ist das wahre Licht. Es leuchte allen, für die wir Lichter anzünden und deren wir im Gebet gedenken, damit sie das Ziel finden in Gott.

An alle werden Teelichter in Glasbechern ausgeteilt und von der Oster-/Friedenskerze her angezündet. Mit den Kerzen in den Händen gehen alle zum Altar und stellen sich um die Christusikone herum auf.

Christus-Meditation *(mit leiser Musikuntermalung)*

I Wo gehöre ich hin, Jesus?
Manchmal zu denen, die auf allen Hochzeiten tanzen wollen.
Die von der Angst geplagt sind, dass sie nicht satt werden und zu kurz kommen.
Du aber zeigst mir, dass mir deine Gnade genügt.
Du bietest mir den Reichtum göttlicher Liebe an und lädst mich zur Hochzeit, auf der ich mich vereine mit dir.

II Wo gehöre ich hin, Jesus?
Manchmal zu denen, die sich für klug halten und ihren Glauben wie ein Gefäß vor sich hertragen.
Du aber willst nicht etwas von mir, sondern mich selbst.
Du gibst dich mir zu Speise und zum Trank.
Du erfüllst meine Sehnsucht mit dem Leben in Fülle.

III Wo gehöre ich hin, Jesus?
Du sagst mir, dass ich immer schon zu den Gerufenen gehöre:
Der Bräutigam kommt! Geh ihm entgegen!
In der Dunkelheit der Nacht kommst du mir entgegen, und freudig höre ich, wenn du sagst: Kommt, ihr Gesegneten!

Vaterunser

Segen Deine Fürsorge, Gott, sei unsere Fürsorge
und unsere Fürsorge sei die deine.
Deine Liebe, Jesus, sei unsere Liebe
und unsere Liebe sei die deine
Deine Kraft, Heiliger Geist, sei unsere Kraft
und unsere Kraft die deine.
So segne uns der lichtvolle und gütige Gott und begleite uns in den Tag:
Der Vater und der Sohn und der Heilige Geist.

STÄRKE UNSEREN GLAUBEN!

AUFNAHME IN DIE KATHOLISCHE KIRCHE

Vorbereiten

- An einer gut sichtbaren Stelle in der Kirche (evtl. von der Empore herunter) hängt eine Fahne oder ein großes Plakat mit der Aufschrift: „Stärke unseren Glauben!"
- Im Mittelfeld der Kirche ist ein großer Papierteppich ausgebreitet. Darauf der Satz: „Wenn euer Glaube auch nur so klein wäre wie ein Senfkorn, …" (neben dem Wort „Senfkorn" steht eine Schale mit Senfkörnern). Auf dem Papierteppich ist genug Platz für eine Schreibmeditation (zum Vervollständigen des Satzes.) Stifte liegen bereit.
- In der Mitte steht die Osterkerze. Daneben ein Tisch mit dem Evangeliar, eine leere Schale, das Gefäß mit Chrisam sowie ein „Begrüßungsschreiben" für die Person, die in die Kirche aufgenommen wird.
- Textblatt Lk 17,5–6 für alle Mitfeiernden

Einstimmen Sie alle begrüßen wir sehr herzlich zu diesem Gottesdienst. Wir begrüßen besonders Frau/Herrn N. N., die/der in dieser Feier in die katholische Kirche aufgenommen wird. Sie/er hat sich dazu entschieden, bei uns nicht nur ein gern gesehener Gast zu sein, sondern als Vollmitglied zur Kirche zu gehören. Sie/er wird in dieser Feier auch das Sakrament der Firmung empfangen.

Meditative Musik

Beten

Wohin mein Blick auch fällt – immer nur Du.
Du stehst mir bei, in allem, was ich tue.
Wenn ich schlafe, umfängst Du mich.
Wenn ich wache, hältst Du mich aus.
Verbrennt die Sonne mir die Lippen,
bringst Du mir klares Wasser;
kriecht mir die Nacht unter die Haut,
stellst Du ein Licht in das Fenster.
Behüte dieses Leben
im Kommen und Gehen,
jetzt und alle Zeit.

Arndt Büssing, nach Psalm 121

Singen

Herr, ich glaube, glaube an dich, hilf meinem Glauben, heile auch mich! *(zu singen nach der Melodie von „Wechselnde Pfade"; Liederbücher)*

STATION 1: WORT GOTTES

Hören/Lesen

Wir laden Sie heute zum gemeinsamen Lesen des Evangeliums ein. Sie finden den Text auf dem Blatt, das an Ihrem Platz liegt. Jede/r ist eingeladen, es laut zu lesen – so schnell oder langsam, so zurückhaltend oder ausdrucksstark wie sie/er es möchte. Wir gehen dabei im Raum umher oder bleiben an einer Stelle stehen oder sitzen. Die Stelle, die mich anspricht – oder vielleicht ist es auch nur ein einziges Wort – kann ich auch immer wieder lesen, vor mich hinsprechen. Achten Sie dabei aufeinander, nicht nur um einen Zusammenstoß zu vermeiden, sondern auch, um aufeinander zu hören. Wenn die Klangschale erklingt, versammeln wir uns dann um die große Stoffbahn.

Alle erhalten einen Zettel, auf dem der Text Lk 17,5–6 steht.

STATION 2: MEIN GLAUBE – EIN SENFKORN

Nach dem Ton der Klangschale versammeln sich alle vor der Papierbahn, auf der der Satz steht: „Wenn euer Glaube auch nur so klein wäre wie ein Senfkorn, …" und betrachten ihn schweigend.

Singen Herr, ich glaube …

Meditation
Alle werden eingeladen, aus der Schale ein Senfkorn zu entnehmen und auf die Handfläche zu legen.

I Mein Glaube – so groß wie ein Senfkorn …

II So klein wie ein Senfkorn …

III So groß, so klein – ist die Größe wichtig?

IV Wichtiger ist wohl, dass in diesem Glauben Leben ist. Leben, das keimen und wachsen kann – wie bei einem Senfkorn.

*Leiter*in* Auf dieser Papierbahn steht der Halbsatz: „Wenn euer Glaube auch nur so klein wäre wie ein Senfkorn, …" – Wie könnte Ihre ganz persönliche Ergänzung lauten? Wer will, kann ein paar Worte auf den Papierteppich schreiben. Wer lieber zu meditativer Musik darüber nachdenken will, kann das auch tun.

Singen Herr, ich glaube …

Senfkorngebet
I Jesus legte den Menschen ein weiteres Gleichnis vor.

II Wie gut ist es, in den vielen Gleichnissen des Lebens zu verstehen, wie Gott zu uns ist: in den Wundern der Natur, in jedem Atemzug, im Lächeln eines Kindes, in der Freundschaft. Aber auch in den Herausforderungen und Krisen, in den dunklen Zeiten und Abstiegen.

A Jesus, gib dich uns im Gleichnis des Lebens zu erkennen.

I Jesus sagte: Mit dem Himmelreich ist es wie mit einem Senfkorn, das ein Mann auf seinen Acker säte.

II Wie gut, dass wir den Samen ausstreuen dürfen. So sind wir Mitarbeiter in Gottes Schöpfung. So dürfen wir Hoffnung und Liebe ausstreuen, damit sie sich vermehren.

A Jesus, öffne unsere Augen und unser Herz, damit wir unsere Begabungen erkennen.

I Es ist das kleinste von allen Samenkörnern, sobald es aber hochgewachsen ist, ist es größer als die anderen Gewächse.

II Wie gut ist es, dass im Kleinen das Große sichtbar wird: im Senfkorn das Leben, im Kind die Größe des Menschen, in einem guten Wort der Anfang einer Versöhnung, in einem Stück Brot das Sakrament der Liebe.

A Jesus, verwandle du unseren kleinen Glauben in ein lebendiges Vertrauen.

I Es wird zu einem Baum, sodass die Vögel des Himmels kommen und in seinen Zweigen nisten.

II Wie gut, dass wir Schwestern und Brüder mit allen Geschöpfen sein dürfen: mit den Pflanzen und Tieren, mit Menschen anderer Kulturen und Sprachen. Wie gut, dass wir Frieden schließen dürfen mit allen.

A Jesus, öffne jeden Tag unser Herz für den neuen Anfang miteinander und für den großen Schalom.

STATION 3: AUFNAHME IN DIE KIRCHE UND FIRMUNG

Nach Erklingen der Klangschale kommen alle wieder in den Kreis.

Vor Gott bringen

Zelebrant Ewiger und Lebendiger, du, der du uns gegenwärtig bist.
Atme uns die heilige *Ruach* zu, die Geistkraft, die von dir ausgeht und uns zu dir hinführt. Sie sei unser Licht und erleuchte unser Herz, unsere Seele, unsere Sinne und unseren Leib. Sie sei uns Anwältin und Trösterin, sie öffne uns den Raum der Wahrheit und Klarheit, sie läutere und ermutige uns, dass wir Jesus Christus folgen, deinem treuen Zeugen, dem Menschensohn.
So bitten wir durch ihn, Christus, unseren Bruder und Herrn.

N.N. sagt in kurzen Worten ihr/sein Motiv, katholisch zu werden.

Absagen und bekennen

Zelebrant Dem Bösen widersagen und den Glauben bekennen – dafür brauchen wir gegenseitige Unterstützung. Darum stimmen wir alle ein in das „Ich widersage“ oder „Ich glaube“, das N. N. spricht.

Böse nennen wir all das, was den Menschen schadet, was uns von uns selbst und von Gott entfremdet: Das ist Angst, Gewalt, Egoismus, Verachtung und Gleichgültigkeit. Ich frage euch: Widersagt ihr dem Bösen, um in der Freiheit der Kinder Gottes leben zu können?

A Ich widersage.

Das Böse übt eine Faszination aus, ja es hat eine Macht über uns. Sie zu durchschauen und uns ihr zu widersetzen ist uns von Jesus geboten. Ich frage euch: Widersagt ihr den Verlockungen des Bösen, damit es nicht Macht über euch gewinnt?

A Ich widersage.

Die Bibel nennt den Urheber alles Bösen: Satan oder Diabolos. Ich frage euch: Widersagt ihr dem Satan und allen dämonischen Mächten?

A Ich widersage.

Glaubt ihr an Gott, den wir Vater nennen dürfen, weil er uns geschaffen hat und liebt und jedem Menschen ein einmaliges, unverlierbares Leben gibt; die wir deshalb auch Mutter nennen dürfen?

A Ich glaube.

Glaubt ihr an Jesus Christus, den Menschensohn, der uns die Freiheit der Kinder Gottes schenkt, der selbst durch und durch Mensch war bis zur Hingabe am Kreuz, der auferstand und allem Leben einen neuen Sinn gibt?

A Ich glaube.

Glaubt ihr an den Heiligen Geist, den Geist der Befreiung, der die Welt mit seinem Atem belebt und der uns bewegt, uns mit Entschiedenheit und Fantasie für eine lebenswerte Welt und eine lebendige Kirche einzusetzen?

A Ich glaube.

Singen ein Credolied

Die Hände auflegen

Alle bilden stehend einen Kreis, eine/r legt der/dem anderen die rechte Hand auf die Schulter, der Zelebrant legt N. N. die Hände auf das Haupt und spricht.

Lebendiger Gott, Vater unseres Herrn Jesus Christus, in der Taufe hast du N. N. mit Jesus Christus verbunden und ihm aus dem Wasser und dem Heiligen Geist neues Leben geschenkt. Wir bitten dich, sende ihm den Heiligen Geist, den Beistand. Gib ihm den Geist der Weisheit und der Einsicht, des Rates, der Erkenntnis und der Stärke, den Geist der Frömmigkeit und der Gottes-Ehrfurcht. Durch Christus, unsern Herrn.

A Amen.

Firmung

N. N. tritt in die Mitte zur Osterkerze hin. Sie/er berührt die Kerze. Die Firmpatin/der Firmpate steht neben ihr/ihm und legt ihr/ihm die rechte Hand auf die Schulter.

N. N. Mein Name ist N. N., ich bitte im Glauben an den auferstandenen Christus um die Kraft des Heiligen Geistes im Sakrament der Firmung.

Der Zelebrant salbt ihn mit Chrisam:

N. N., sei besiegelt durch die Gabe Gottes, den Heiligen Geist.

Musik

Friedensgebet

In dir, Gott, ist Friede und Gerechtigkeit.
Mach mich zur Taube, die deinen Frieden über das große Wasser trägt.
Mach mich zum Kanal, der dein Leben in dürres Land leitet.
Mach mich zum Höhenfeuer, das warnt vor Gefahren, die dem Leben drohen.
Mach mich zum Lautsprecher, der deine Botschaft überall hörbar macht.
Mach mich zu einem willigen Werkzeug, das du brauchst für Frieden und Gerechtigkeit

Anton Rotzetter

Zelebrant Wir wünschen dir den Shalom – Gottes Geist und die Fülle seiner Kraft.
Der Friede sei mit dir.

Segen Der Herr, der verspricht:
„Ich bin bei euch alle Tage",
schenke uns, was wir brauchen
auf dem Weg des Lebens.

Er befähige unsere Hände aufzugreifen,
was dem Frieden dient.
Er begleite unsere Füße auf den Wegen,
die wir miteinander gehen,
durch alle Tiefen und Höhen.

Sein Geist wirke in uns – und durch uns,
dass Glaube, Liebe und Hoffnung neu wachsen,
und wir Frucht bringen, die bleibt.

MITTELPUNKT DES KREISES

INTERRELIGIÖSE BEGEGNUNG

Vorbereiten

- Kreide
- Klangschale
- Musik für die Stille
- Körnerbrot (das später bei der Mahlzeit verzehrt wird)
- Trinkgläser
- Wasser in Krügen

Auf großen Blättern stehen die folgenden Texte:

Gehe ganz aus dir hinaus aus Liebe zu Gott,
und Gott wird ganz aus sich hinausgehen
aus Liebe zu dir.
Was dann bleibt, ist die schlichte Einheit.

Meister Eckhart

Alle Menschen sind eins.
Was sie unterscheidet, ist der Name,
den man ihnen gibt.

Buddha

Darum ist dieses dein Leben, das du lebst,
auch nicht ein Stück nur des Weltgeschehens,
sondern in einem bestimmten Sinn das Ganze.
Nur ist dieses Ganze nicht so beschaffen,
dass es sich mit einem Blick überschauen lässt.
Das ist es bekanntlich, was die Brahmanen
ausdrücken mit der heiligen, mystischen und doch
eigentlich so einfachen und klaren Formel
Tat twam asi (das bist du).

Erwin Schrödinger

Einstimmen Wir sind verschieden, keine und keiner ist gleich wie die oder der andere. Das ist gut so. Das gibt uns – jedem und jeder – ihre eigene Würde, ihren eigenen Wert. Manchmal ist es auch mühsam. Selbst beste Freunde verstehen nicht alles vom anderen. Wir bleiben uns ein Rätsel und wir bleiben auch irgendwo allein.
Wir sind aber nicht nur verschieden, wir sind auch eins. Jesus selbst hat dies immer wieder betont: Eins sein, eins werden ist Ziel unseres Weges. „Alle sollen eins sein: Wie du, Vater, in mir bist und ich in dir bin, sollen auch sie in uns sein, damit die Welt glaubt, dass du mich gesandt hast." (Joh 17,21) – Dieser Satz des Johannesevangeliums wird uns heute begleiten. Beten wir um diese Einheit.

Gebet um Einheit

Da Du Gemeinschaft bist
Heiliger Gott
Stifte Gemeinschaft

Da Du Beziehung bist
Heiliger Gott
Knüpfe Beziehungen

Da Du Wort bist
Heiliger Gott
Gib unseren Worten Sinn

Da Du Einheit bist
Heiliger Gott
Führe zusammen

Da Du Vielfalt bist
Heiliger Gott
Befreie zur Vielfalt

Anton Rotzetter

Singen Hine ma tow (Trimum – Interreligiöses Liederbuch)
(Kann auf hebräisch, deutsch, türkisch und arabisch gesungen werden.)

STATION 1: DER EINE GOTT

In der hinteren Hälfte der Kirche steht der Ambo mit der Bibel und anderen Texten (s. o.) Alle bilden einen Kreis.

Jemand zeichnet mit Kreide einen Kreis auf den Boden.

I Ein Kreis. Und wo ist da die Mitte?

II *geht in die Mitte des Kreises und sagt:*
Ungefähr hier.

I Aber ich sehe keinen Mittelpunkt.

II Den Mittelpunkt kannst du nicht sehen. Er hat ja keine Ausdehnung.

I Dann gibt es ihn vielleicht gar nicht.

II Was ganz in der Mitte ist, das ist wirklicher als alles Äußere. Ohne die Mitte gibt es keinen Kreis. Ohne die Mitte gibt es die Welt nicht.

III Ist es nicht auch mit der Gegenwart so? Sie ist ein Punkt, der keine Ausdehnung hat. Ich sage „Jetzt". Und das Jetzt ist nicht mal so lange wie ich es sage.

II O Gott! Jetzt werden wir philosophisch.

III Ja, sag's nur: „Oh Gott!". Ist es nicht auch so mit ihm? Du kannst ihn nicht sehen, nicht hören, nicht riechen, nicht schmecken, nicht halten. Wie diesen Punkt in der Mitte.

I Gott ist die Mitte und wir sind der Kreis. Wir stehen an verschiedenen Punkten des Kreises, aber uns alle verbindet derselbe Punkt in der Mitte.
Wir sind eins mit Gott wie der Kreis eins ist mit dem Mittelpunkt.

STATION 2: HÖREN AUF GOTTES WORT

Hören (Dtn 6,4–6)

Kurze Stille

Hören Lesung aus dem Koran: Der innere Friede
„O die ihr glaubt! Gedenkt Allahs in häufigem Gedenken und lobpreist Ihn morgens und abends. Er ist es, Der euch segnet, und Seine Engel bitten (darum) für euch, dass Er euch aus den Finsternissen zum Licht führe. Und Er ist barmherzig gegen die Gläubigen. Ihr Gruß an dem Tage, da sie Ihm begegnen, wird sein: „Frieden!". Und Er hat für sie einen ehrenvollen Lohn bereitet." (Sure 33:41 ff.)

Hören Joh 17,20 f.

Vertiefen

I Was heißt eigentlich „Eins sein"? Das ist doch im Alltag überhaupt nicht möglich. Wir sind doch grundverschieden, und diese großen Unterschiede bestehen auch zwischen den einzelnen Kulturen und Religionen.

II „Eins sein" heißt auf keinen Fall „gleich" sein. Totalitäre Systeme, Diktatoren, intolerante Religionsgruppen – sie wollen das eine: dass alle gleich denken, gleich glauben, sich gleich verhalten. Wir leben leider in einer Zeit, da solche Ideen wieder viel Resonanz finden.

I Ich finde das Wort „Einheit in Vielfalt" sehr gut. So wie der Regenbogen sehr verschiedene Farben hat und doch aus dem einen Licht besteht, so sind wir Menschen verschieden in unseren Denk- und Glaubensrichtungen.

II Wir hier sind Menschen aus ganz verschiedenen Kulturen, Sprachen und Religionen – und doch sind wir heute zusammen. Wir haben ein Ziel: miteinander beten. Und wir haben die Vision, dass Gott einmal alle Menschen zusammenführen wird zur Einheit der großen Menschheitsfamilie.

I Es ist gut so und es ist nicht unsere „Leistung", dass wir zusammenkommen. Es ist die Liebe Gottes, die uns eint. Wir mögen alle verschieden sein, und wir sind es ja auch, eins sind wir in der Liebe Gottes.

Singen Gospel „Amen" – evtl. von einer CD

Meditation

Ich lade Sie ein zu einer kleinen Übung.
Verwurzeln wir uns ganz mit der Erde und spüren wir uns. Dann lassen wir den Atem fließen. Verbinden wir uns mit dem Atem und spüren wir die Einheit mit uns selbst.

Stille

Spüren wir auch die Einheit miteinander – in aller Verschiedenheit sind wir zusammen.

Stille

Spüren wir auch die Einheit mit Gott. Er ist der Grund, auf dem wir stehen.

Stille

Brotteilen
Brote werden auf den Tisch gebracht und gesegnet.

Ein Brot besteht aus vielen Körnern. Das Korn wurde im Sommer geerntet und in die Scheune gebracht. Aber es wurde noch vielfach verwandelt: gedroschen, gemahlen und gebacken. Erst dann kommt es auf den Tisch und nährt uns. Aus vielen Körnern wurde ein Brot. Wenn wir teilen, wird aus einem Brot ein Fest für viele. Jede und jeder von uns kann von diesem Brot essen. Wir erinnern uns daran, dass wir eins sind in Gott und dankbar für unsere Verschiedenheit.

Singen Das eine Brot wächst aus vielen Halmen …

Segnen des Brotes

Wenn wir um den Segen für dieses Brot bitten, Gott, dann bitten wir um den Segen für unsere Erde.
Für ihre Menschen, Tiere und Pflanzen.
Für ihre Sprachen, Kulturen, Länder und Erdteile.
Für das Leben in den Häusern, auf den Straßen, in den Lüften und Meeren.
Das Brot werde uns zum Zeichen, dass wir zusammengehören und dass wir leben aus deiner Gnade.
So segne das Brot,
segne uns, die wir miteinander teilen.
Du, der du für uns Mutter und Vater bist, Freund und Bruder und Heilige Geistkraft.

Die Brote werden in Stücke gebrochen und ausgeteilt. Dazu kann Wasser getrunken werden. Es ist Zeit zum Austausch, zum Essen und Trinken. Der Gottesdienst findet seinen Abschluss im gemeinsamen Dankgebet.

Danken Du gütiger Herr! Du hast die ganze Menschheit aus dem gleichen Stamm erschaffen. Du hast bestimmt, dass alle der gleichen Familie angehören. In deiner heiligen Gegenwart sind alle deine Diener, die ganze Menschheit findet Schutz in deinem Heiligtum.
O Gott! Du bist gütig zu allen, du sorgst für alle, du beschützt alle, du verleihst allen Leben. du hast einen jeden mit Gaben und Fähigkeiten ausgestattet, und alle sind in das Meer Deines Erbarmens getaucht.
O du gütiger Herr! Vereinige alle. Gib, dass die Religionen in Einklang kommen und vereinige die Völker, auf dass sie einander ansehen wie eine Familie und die ganze Erde wie eine Heimat.

Gebet aus einer Andacht der Baha'i

DAS ALLERWICHTIGSTE

GOTTES-, NÄCHSTEN- UND SELBSTLIEBE

Einstimmen Jemand sagte: Wenn ich am Morgen erwache, meine Augen öffne, das Licht sehe und feststelle: Ich lebe – das ist der schönste Augenblick am Tag.
Ich lebe – dieses Glückserlebnis ist nicht auf den Morgen beschränkt. Was auch geschieht, mit welchen Gefühlen wir auch hierhergekommen sind – wir leben. Das ist ein Wunder, das ist ein Glück. Wenn wir zu Beginn das Kreuz über unseren Körper zeichnen, dann können wir es tun mit einem inneren JA – ich freue mich, dass ich lebe.
Beginnen wir also im Namen des Vaters und des Sohnes und des Heiligen Geistes.

Singen Suchen und fragen (GL 457,1–3)

Beten Jesus Christus,
du bist gekommen, um Feuer auf die Erde zu werfen
und du willst, dass es brennt.
Das Feuer der Begeisterung,
das Feuer der Gerechtigkeit,
das Feuer des Friedens.
Du bist das Licht, das in unserer Dunkelheit brennt.
Leuchte in unseren Herzen,
leuchte in dieser Welt,
dass in ihr das Reich Gottes wächst
und dass dein Friede Wirklichkeit wird.

STATION 1 WÄHLE DAS LEBEN!

An einen freien Platz in der Kirche liegt ein großes Plakat auf dem Boden, auf dem steht:

> **Leben und Tod lege ich dir vor.**
> **Wähle also das Leben,**
> **damit du lebst,**
> **du und deine Nachkommen.**
> *Dtn 30,19*

I

Leben
Frisches Wasser
Fließende Bewegung
Mittelpunkt und Kreis
runde Sache
schützen und erhalten
achten und schonen
sich freuen und kommunizieren
Leben

II

Tod
Schwarze Starre
festgelegt und unbeweglich
Gewaltsam und brutal
Hunger und Angst
Nehmen was man kriegt
Nicht nach morgen fragen
Über Leichen gehen
Tod

I Mehr als sieben Milliarden Menschen leben auf dieser Erde. Etwa ein Fünftel davon nimmt rund vier Fünftel der Ressourcen in Anspruch. Der verbleibenden Mehrheit wurde in den letzten hundert Jahren versprochen, dass sie auch teilhaben darf am Kuchen des Wohlstands. Aber das Modell Wachstum nach dem Motto „immer mehr" ist gescheitert.

II Trotzdem: Wir beuten die Ressourcen der Erde weiterhin aus. Wir stellen Waren her, verwenden sie, bis sie uns nicht mehr gefallen und werfen sie schließlich auf den Müll. Die Rohstoffe werden immer weniger und der Müll wird immer mehr.

I Rund eine Milliarde Menschen leidet an Unterernährung. Der enorme Hunger nach Fleisch führt dazu, dass ein erheblicher Teil landwirtschaftlicher Erträge als Viehfutter endet. Mit einem Drittel des Getreides, das als Viehfutter genutzt wird, könnten täglich weltweit pro Kopf 200 Kilokalorien mehr zur Verfügung gestellt werden.

Hören *Textcollage nach Dtn 30,11–20*

I Gott spricht:
Hiermit lege ich dir heute das Leben und das Glück,
den Tod und das Unglück vor.

Klangschale

II Wenn du auf die Gebote des Herrn, deines Gottes, …
hörst,
ihn liebst,
auf seinen Wegen gehst,
dann wirst du leben
und … der Herr, dein Gott, wird dich … segnen.

Klangschale

I Wenn du aber dein Herz abwendest
und nicht hörst,
wenn du dich verführen lässt,
dich vor anderen Göttern niederwirfst
und ihnen dienst –

Klangschale

heute erkläre ich euch:
ihr werdet nicht lange in dem Land leben,
in das du jetzt … hinüberziehst.

I + II Leben und Tod lege ich dir vor …
Wähle also das Leben,
damit du lebst,
du und deine Nachkommen.

Singen Heile mich in der Tiefe meines Herzens (2x)

STATION 2 FARBEN DER LIEBE

In der Mitte eines Stuhlkreises liegen der Länge nach drei Stoffbahnen (etwa 10 m lang) in den Farben Gelb (Mitte), Rot (links) und Blau (rechts). Sie kommen aus verschiedenen Richtungen und laufen zur Mitte hin zusammen.

Hören Mk 12,28–32

Vertiefen

I Jesu zentrale Botschaft.
Gottesliebe. Nächstenliebe. Selbstliebe.
Und diese drei Wege der Liebe sind gleich viel wert und gleich wichtig.
Meine Beziehung zu Gott kann ich nicht trennen von der Beziehung zum anderen und zu mir selbst.

II In Gleichnis vom Weltgericht schärft uns Jesus ein: Was wir anderen Menschen tun, das tun wir ihm. Und er führt das näher aus: Wer einen Kranken besucht, besucht Jesus. Wer einem Hungrigen Brot gibt, gibt es Jesus.

I *geht an das Ende des Tuches „Nächstenliebe"*
In unserer Stadt gibt es viele Obdachlose. Sie brauchen Hilfe. In meiner Nachbarschaft wohnt eine ältere Frau, die gehbehindert ist. Sie freut sich jedes Mal, wenn ich sie besuche. Aber ich weiß: Die Kraft kommt nicht aus mir selbst. Weil Gott Liebe ist, kann auch ich lieben.

Nimmt die Stoffbahn „Nächstenliebe" und legt sie über die mittlere Bahn (Gottesliebe). So entsteht der Anfang eines Zopfes.

II *geht an das Ende des Tuches „Selbstliebe"*
„... wie dich selbst!" Lange ist dieser kleine Nebensatz in der Christenheit untergegangen. Da hieß es, ich solle mich selbst verleugnen. Heute erleben wir eher das Gegenteil. Mir scheint, es versteckt sich unter der Selbstliebe mitunter ein rücksichtsloser Egoismus. Ich wünsche mir eine gesunde Selbstliebe. Dann kann ich auch meine Mitmenschen und Gott lieben.

I *geht an das Ende des Tuches „Gottesliebe"*
Ich versuche, Gott zu lieben. Im Gebet, in der Meditation, im Gottesdienst ist er mir nahe. Und doch bin ich im Alltag oft ungeduldig oder gereizt. Ohne die Liebe zu den Menschen geht meine Gottesliebe ins Leere.

nimmt die Stoffbahn „Gottesliebe" und legt sie über eine der anderen Bahnen, sodass sich der Zopf weiterentwickelt.

*Leiteri*in* So wird aus drei Farben ein bunter Zopf. Liebe ist bunt. Auch Gott ist bunt. Und wir sind bunt. Es ist schön, verschieden zu sein. Die Liebe verbindet uns.

Singen Liebe ist nicht nur ein Wort (Liederbücher)

Nun knüpfen die Teilnehmenden einen Zopf aus den drei Stoffbahnen.

STATION 3: DAS REICH GOTTES MITTEN UNTER UNS

Alle bilden einen Kreis um die brennende Osterkerze

Hören Mk 12,32–34

Vertiefen

I „Nicht fern vom Reich Gottes“, sagt Jesus. Er meint damit, dass wir uns dem Reich Gottes nähern, wenn wir das Gebot der Liebe umsetzen.
Wir bilden einen Kreis um die Osterkerze. Einen Kreis um den Auferstandenen Christus. Die brennende Osterkerze ist ein Symbol für ihn.

Klangschale

II Wenn ich zur Mitte schaue, bin ich nicht fixiert auf mich selbst. Ich schaue auf Christus. Mit ihm als Mitte wird aus meinem Nebenmenschen ein Mitmensch. So können wir uns gegenseitig anschauen und den Frieden wünschen.

Friedensgruß

I Von der Mitte, von Christus her sind wir ein Kreis, eine Einheit.
Jesus sagt in der Bergpredigt: „Sucht … zuerst sein Reich und seine Gerechtigkeit; dann wird euch alles andere dazugegeben.“ (Mt 6,33) Beten wir gemeinsam.

Vaterunser

Segensgebet

Der Segen des Gottes des Friedens
und der Gerechtigkeit,
der Gott der Schöpfung, der Saat und der Ernte
sei mit uns.
Der Segen des Sohnes,
der die Leidenstränen dieser Welt weint,
sei mit uns.
Der Segen des Geistes,
der uns zu Versöhnung und Hoffnung anstiftet,
sei mit uns, jetzt und in Ewigkeit.

DAS EINE TALENT

TOTENGEDENKEN AUF DEM FRIEDHOF

Einstimmen Wir sind bereits im vorletzten Monat des Jahres angekommen. Manche meinen, der November sei ein sehr schwermütiger Monat. Ja, die Tage sind kurz, das Licht ist gedämpft, die Nächte sind lang. Aber das ist nicht alles. Dieser Monat ist gehaltvoll: Voller Erinnerung, voller Trauer, voller Dankbarkeit. All dem wollen wir heute Raum geben in einem guten und ermutigenden Sinn: der Erinnerung, der Trauer, der Dankbarkeit.

I In diesem Monat gedenken wir vor allem unserer Toten. Wir gehen auf die Friedhöfe und schmücken die Gräber unserer Lieben. Jede und jeder von uns hat ganz persönliche Erinnerungen an Menschen, die ihr und ihm verbunden waren – und weiterhin sind. Diese Verbundenheit findet auch ihren guten Ausdruck im Gebet. Wir haben eine Hoffnung. Paulus schreibt einmal: „Wir gehören nicht der Nacht und nicht der Finsternis." (1 Thess). Das ist unser Trost in einer trüben Zeit.

II In diesem Monat gedenken wir auch geschichtsträchtiger Ereignisse: Am 9. November ist der Jahrestag der schrecklichen Pogromnacht im Jahr 1938, in der die Synagogen in Deutschland angezündet wurden. Am selben Tag gedenken wir des Mauerfalls, mit der die Wiedervereinigung Deutschlands ihren Lauf nahm.

Singen O Herr, wenn du kommst (GL 233)

Beten

Vor dem Gebet kann eine große Kerze oder ein Feuer angezündet werden.

Wenn das Feuer der Liebe nicht brennt – bin ich kalte Asche.
Wenn das Licht der Zuversicht nicht leuchtet – bin ich dunkel wie die Nacht.
Wenn die Wachheit für die anderen nachlässt – verschlafe ich das Leben.
Wenn die Sehnsucht erlischt – dann stirbt auch die Liebe.
Wenn du, Herr, kommst, dann wirst du mit uns das Fest der Liebe feiern.

Hören *eine Evangelien-Collage*

I Oft sind die letzten Worte eines Menschen für die Angehörigen ein kostbarer Besitz. „Hat er noch etwas gesagt, bevor er starb?“ Jesus hat etwas gesagt, bevor er starb. Er hat eine Geschichte erzählt.

II Mit dem Himmelreich ist es wie mit einem Mann, der auf Reisen ging: Er rief seine Diener und vertraute ihnen sein Vermögen an. Dem einen gab er fünf Talente Silbergeld, einem anderen zwei, wieder einem anderen eines, jedem nach seinen Fähigkeiten. Dann reiste er ab. (Mt 15,14)

I Alles ist ungleich verteilt in der Welt. Der eine bekommt viel, die andere wenig. Wie ungerecht!

II Genau besehen ist diese Ungerechtigkeit ja nicht von Gott gewollt, wir Menschen sind es, die einander unsere Talente nicht gönnen. Männer haben Angst, dass die Frauen es auch oder noch besser können und halten an ihren Privilegien fest. Kleriker glauben zu wissen, wem Jesus die Vollmacht gegeben hat. Viele Deutsche glauben immer noch, „Made in Germany“ sei das Nonplusultra. Dabei hat Gott seine Talente an alle vergeben.

I Die Geschichte im Evangelium sagt ja auch gar nicht, welche Talente es sind. Wenn wir einmal nach unserem irdischen Leben vor Gott stehen, dann kommt es nicht darauf an, wie viel einer hat. Wir werden nicht an unserem Konto gemessen, auch nicht an unsrer Leistung. Nicht einmal an der Zahl der Arbeitsstunden. Es geht um etwas ganz anderes.

II Sofort ging der Diener, der die fünf Talente erhalten hatte hin, wirtschaftete mit ihnen und gewann noch fünf weitere dazu. Ebenso gewann der, der zwei erhalten hatte, noch zwei weitere dazu. Der aber, der das eine Talent erhalten hatte, ging und grub ein Loch in die Erde und versteckte das Geld seines Herrn. (Mt 15,16–18)

Meditative Musik

Vertiefen

I Das eine Talent – für mich hat es einen Namen: Liebe. Was von unseren Verstorbenen bleibt, ist vor allem die Liebe. Daran erinnern wir uns. Dafür sind wir dankbar. Liebe ist das alles entscheidende Talent. Jede und jeder von uns hat es. Und sie alle, die hier auf dem Friedhof liegen, hatten es. Sie haben es gelebt, jede und jeder auf ihre und seine Weise.

II Es ist auch ihre Mahnung an uns. Sie sagen: Denke daran: du hast das große Talent der Liebe. Vergrabe es nicht. Gib es aus mit offenen Händen. Und je mehr du davon verschenkst, umso größer wird dein Talent.

II Wie kommt es nur, dass wir dieses einzigartige Talent vergraben? Es gibt viele Antworten. Eine davon heißt: Angst. Jede und jeder kennt eine Vielzahl von Ängsten. Sie hindern uns, die Liebe zu leben.

I Vor Gott brauchen wir keine Angst zu haben. Nein, er ist nicht der strenge Herr, der gnadenlos seine Talente zurückfordert. Er ist nicht der Vater oder die Mutter mit dem strengen Blick. Das sind die Bilder, die wir uns von ihm gemacht haben.

II Aber alle haben wir doch dieses eine Talent. Ich habe es, ob ich gesund bin oder krank. Ich habe es, ob ich mich gut fühle oder hundeelend. Ich habe es auch, wenn ich Angst habe. Ich kann lieben. Wenn ich einen Satz als Überschrift über allen Geschichten in der Bibel setzen sollte, dann lautet er: Die Liebe ist stärker als die Angst. Die Liebe ist ein leuchtender Funke inmitten der dunklen Angst.

Meditative Musik

Singen Wohin geht deine Reise? Du hast uns nichts gesagt.
In unbekanntes Neuland hast du dich vorgewagt.
Und wenn wir jetzt auch trauern – ist dies ein Zeichen nur:
Unsterblich ist die Liebe, unsterblich deine Spur.

Du hast mit uns und vielen die Lebenszeit geteilt,
du hast geliebt, gelitten, verwundet und geheilt.
Und wird auch viel vergessen, verloren geht es nicht.
Lebendig bleibt die Wärme, lebendig dein Gesicht.

Wir werden dir bewahren im Herzen einen Platz
und dankbar uns erinnern: du warst, du bist ein Schatz.
Ganz tief ist eine Ahnung: du bist nicht einfach fort.
Du bist, lass es uns glauben, an einem guten Ort.

Erinnern und bitten

Für Menschen, an die wir uns heute erinnern und denen wir verbunden sind, zünden wir Lichter an und beten für sie.

- Wir zünden ein Licht an für alle, die hier auf dem Friedhof ruhen. An manchen von ihnen erinnern wir uns. Wir kennen ihr Leben, ihren Charakter, ihre Stärken und Schwächen. Wir empfehlen sie Gott und seiner Güte.

- Wir zünden ein Licht an für Menschen, die mit uns verwandt oder befreundet waren, um die wir trauern. In unserem Schmerz verbirgt sich auch unsere Liebe, die uns weiter mit ihnen verbindet.
- Wir zünden ein Licht an für Menschen, die durch Hunger, Terror, Unfälle, Naturkatastrophen und Gewalt den Tod gefunden haben. Wir kennen soviele Namen nicht, aber Gott weiß um sie.
- Wir zünden ein Licht an für Menschen, die in lähmender Angst leben.
- Wir zünden ein Licht an für Menschen, die Opfer von Antisemitismus, Rassismus und Fremdenhass geworden sind. Auch heute sind wir wieder stark gefährdet durch fremdenfeindliche Ideologien. Gott möge uns davor bewahren.
- Wir zünden ein Licht an für den Menschen, um den jede und jeder von uns heute trauert.

Vaterunser

Einander segnen

Wir halten die rechte Hand zur Mitte hin, die linke auf unser Herz. Der Segen möge fließen von mir zu dir, von einem zum anderen, von Gott zu uns.

I Gott segne dich, denn er kennt dich.
Mit all deinen Grenzen, Fehlern, Talenten,
Möglichkeiten und Unmöglichkeiten.

II Gott kennt dich und weiß:
Du brauchst seinen Segen!
Den Segen des liebenden Gottes,
des guten Bruders, den Segen kraftvoller Lebendigkeit.

I Den Segen aller, die hier sind.
Den Segen, der uns verbindet mit den Lebenden und Toten.
Gott segne dich und alle, die mit dir auf dem Weg sind.

LITERATURNACHWEIS

S. 11	Lao-Tse (6. Jh. v. Chr.), zit. nach: Die Urkraft des Heiligen. (Topos plus, Kevelaer 2017)
S. 12	Franz von Assis, Lobpreis Gottes (Auszug), zit. nach: Franziskus-Quellen, Kevelaer 2009
S. 17 f.	Nach: Helmut Schlegel, Assisi für Pilger, Würzburg 2012
S. 125	Anton Rotzetter, Gott, der mich atmen lässt, Freiburg 1985, S. 76
S. 125	Anton Rotzetter, Kalenderblätter zum Jahr des Glaubens –Ausgabe März 2013, zitiert nach: https://www.bistum-magdeburg.de/upload/2013/JahrDesGlaubens/Blatt_04_Zusatzmaterial.pdf

Liederbücher

- Helmut Schlegel, Sonnenmusikant. Ein franziskanisches Liederbuch, München 1999
- Ein Segen sein. Junges Gotteslob, Dehm Verlag, Limburg 2011. www.dehm-verlag.de
- Eine Handbreit bei Dir. Neue Texte und Melodien zu allen 150 Psalmen der Bibel, Limburg 2019. www.dehm-verlag.de
- Cantate II, Liederbuch Erzbistum Bamberg, Bamberg 42015
- Trimum – Interreligiöses Liederbuch. Gemeinsam feiern und singen, Wiesbaden 2017